Bello Bond à la poursuite des voleurs

L'auteur : Thomas Brezina, né en 1963, vit à Vienne et à Londres. Il a déjà écrit plus de cent livres, que des millions de jeunes lecteurs dévorent dans le monde entier. Beaucoup ont été adaptés au cinéma, au théâtre, à la radio et édités sous forme de cédéroms interactifs. Sa devise : « Lire doit être une aventure et un plaisir. » Ses émissions télévisées obtiennent aussi un grand succès. Thomas Brezina est ambassadeur de l'Autriche pour l'UNICEF.

L'illustratrice : Magdalene Hanke-Basfeld est née en 1951 à Dillenburg, en Allemagne. Après des études de langues à Munich et à Tours, elle enseigne d'abord dans un lycée. Mais, si elle aime beaucoup son métier de prof, elle apprécie moins de devoir noter les élèves et, en 1978, elle commence des études de dessin. Depuis, elle a illustré une centaine d'ouvrages, surtout dans le domaine de la jeunesse. Elle vit avec son mari à Hambourg.

Titre original : *Wer hat das Fohlen Pharao entführt ?*

Loi n° 49 956 du 16 juillet 1949
sur les publications destinées à la jeunesse.
Dépôt légal : septembre 2004 – ISBN : 2 7470 1137 2
Imprimé en Allemagne par Clausen & Bosse

Bello Bond à la poursuite des voleurs

Thomas Brezina

Traduit et adapté de l'allemand
par Laurent Muhleisen
Illustré par Magdalene Hanke-Basfeld

BAYARD JEUNESSE

La bande à Bello Bond

LUCAS
Âge : onze ans
Caractère : le pessimiste de service. Il prédit toujours les pires catastrophes aux moments les plus mal choisis, une manie assez agaçante pour les autres.
Signes particuliers : surnommé « Capitaine », parce qu'il porte une casquette de marin, jure comme un loup de mer et collectionne tout ce qui se rapporte aux bateaux.
BASTIEN
Âge : douze ans
Caractère : le plus décontracté et l
plus désordonné des trois ; n'a pas so
pareil pour semer la pagaille partout o
il passe.
Signes particuliers : ne quitte jamai
ses lunettes noires et invente des jeu
de mots débiles (ou des surnoms tor-
dus), mais ne supporte pas qu'on s
moque de ses oreilles décollées.

Cachette d'un certain chien clandestin.
Chambre de Lucas et Bastien.
Chambre de Julie.
Panier « ascenseur » (pour les sorties hygiéniques de Bello).
JULIE
Âge : treize ans
Caractère: observatrice, réfléchie.
Signes particuliers: végétarienne, parce qu'elle aime trop les animaux pour manger de la viande.
Passionnée de gymnastique sportive, elle rêve de gagner un championnat.

Le « langage des pattes » de Bello Bond

Attention, danger !

Cachez-vous !

Dépêchez-vous de filer !

Je veux jouer !

Attention, on nous suit !

Inspectez cet endroit de près !

1
Mon ami le putois

Salut ! Je m'appelle Lucas, et mon meilleur ami est un putois. Je ne parle pas de Bastien, bien sûr, avec qui je partage ma chambre à l'internat du Lac. Je parle de Bello Bond, notre chien détective. Toutes les deux ou trois semaines, c'est plus fort que lui, il éprouve le besoin de puer, et le résultat n'est pas triste !

Il n'y a pas longtemps, Bello nous a conduits à enquêter sur le terrible cas du poulain Pharaon. Je n'avais pas fait deux pas dans le centre équestre que j'avais senti que quelque chose clochait. Pour ça, j'ai une sorte de sixième sens. Je flaire le danger à des kilomètres.

J'ai tout de suite su qu'un événement effroyable allait se produire, mais Julie et Bastien, mes meilleurs amis, n'ont pas voulu me croire. À leurs yeux, je suis le plus grand pessimiste de la Terre.

N'empêche qu'au centre équestre il se passait un truc bizarre. Il y régnait un calme comme avant une tempête. Et pas n'importe quelle tempête : le genre de celles qui font sombrer les bateaux au fond des océans !

Je ne savais pas encore que le poulain Pharaon allait…

Mais stop ! Si je continue, vous n'allez plus rien comprendre. Mon père, capitaine d'un grand navire, dit toujours : « D'abord il faut lever l'ancre, puis larguer les amarres, et ensuite seulement on peut mettre les voiles. » Pour ceux qui n'auraient pas de connaissances dans le domaine, ça signifie : une chose après l'autre.

Tous les mercredi après-midi, on a « permission ». Ça veut dire qu'on a le droit de quitter l'internat, à condition d'être de retour pour six heures et demie.

Le temps était magnifique, et je pouvais enfin tester mon nouveau canoë gonflable. Mon père me l'avait offert à Noël, et je mourais d'envie de savoir s'il était aussi aérodynamique que la notice le promettait. Pour moi, il était clair que Julie et Bastien devaient m'aider à faire ce test. Après tout, le canoë était assez grand pour trois, et j'avais besoin d'un équipage, ne serait-ce que pour gonfler cet énorme machin.

Oui, je l'avoue, dans ces cas-là, j'aime bien être le capitaine. Commander, j'ai ça dans le sang. Même que, parfois, mes deux amis ont du mal à me supporter. Alors une mutinerie éclate, et ils me tombent dessus sans crier gare.

Ce mercredi-là, tout se déroulait selon mes plans.

Julie et Bastien sautaient à pieds joints sur les pompes comme des fous, et moi, je leur donnais la cadence, en les traitant d'escargots.

Une fois le canoë bien gonflé, Julie est allée chercher notre chien, Bello Bond, dans sa cachette et l'a fait discrètement monter à bord. Et, pour que l'on ne le découvre pas, je l'ai coiffé de ma casquette de capitaine. Il faut savoir que les animaux domestiques sont strictement interdits à l'internat ! Le seul à connaître l'existence de Bello est notre cuisinier, surnommé Bisou-Bisou, parce que, à chaque fois qu'il nous sert un plat, il dit : « Vous allez voir, c'est un régal ! » en faisant un gros bruit de baiser avec sa bouche.

Julie, Bastien et moi avons levé le bateau au-dessus de nos têtes et traversé le parc de l'internat, jusqu'à la rive du lac. Là-bas, il y avait une petite baie où personne ne viendrait nous embêter.

Quand nous avons voulu mettre notre embarcation à l'eau, surprise : Bastien, cette tête de linotte, n'avait pas bien refermé les valves, et le canoë était à moitié dégonflé. Julie et moi l'avons traité de tous les noms, et il a rougi jusqu'aux oreilles. Mais, au lieu d'admettre qu'il avait commis une erreur, il s'est défendu en nous couvrant d'injures à son tour !

– Stop ! Où est Bello ? a soudain demandé Julie.

Chose bizarre, notre petit chien blanc avait déserté le canoë. D'habitude, il ne s'éloigne jamais de nous.

J'ai un défaut qui énerve beaucoup mes amis : je vois des catastrophes partout. Là aussi, je me suis mis à imaginer le pire : Bello renversé par une voiture ; Bello, la patte coincée dans un piège à renard ; Bello tombé entre les mains de trafiquants de chiens ; Bello noyé dans le lac ; Bello taillé en pièces par un doberman. Quand j'ai commencé à exprimer mes craintes à haute voix, la dispute a repris de plus belle.

– Si tu n'arrêtes pas immédiatement de déblatérer, je te jure de faire croire à tout l'internat que ton vrai nom de famille, c'est *Tastrophe* ! m'a prévenu Bastien.

J'ai pris sa menace au sérieux : Lucas Tastrophe, c'est bien le jeu de mots le plus humiliant qu'on puisse faire avec mon nom. Avec ça, je serais la risée du collège, c'est garanti !

On s'est séparés, et chacun a appelé le chien de son côté, le plus discrètement possible. C'est moi qui l'ai retrouvé, finalement, mais dans quel état !

Bello s'était glissé sous l'enclos d'un pré où les fermiers voisins faisaient paître leurs vaches. Là, il avait choisi la bouse la plus grosse et la plus fraîche et s'était roulé dedans avec volupté. Il était couvert de cette cochonnerie de la pointe des oreilles jusqu'au bout de la queue. Son beau poil blanc avait viré au brun verdâtre.

Bello ne fait jamais les choses à moitié !

Quand je l'ai sifflé, il est revenu, mine de rien, par le petit passage qu'il avait lui-même creusé sous la palissade. Arrivé devant moi, il a joyeusement remué la queue. Une boule puante de cinq kilos n'aurait pas senti plus mauvais. Bello semblait très fier de lui ; il a allongé le cou pour recevoir une caresse.

Quand je suis en colère, je ressemble un peu à une cocotte minute prête à exploser. En général, je me mets à trembler de tout mon corps, et je regrette que mes yeux ne puissent pas lancer des éclairs.

– Combien de fois t'ai-je dit de ne pas jouer dans la saleté ! ai-je vitupéré.

Instantanément, Bello a mis sa queue entre ses pattes et a aplati ses oreilles, comme s'il voulait atténuer le bruit de ma voix. Puis il a baissé la tête en levant sur moi des yeux implorants. C'est un malin, Bello, il savait parfaitement ce qui l'attendait : la chose qu'il redoutait le plus au monde : un bain ! Et pas plus loin que dans le lac, qui était encore assez froid en cette saison.

Parfois, j'ai l'impression que Bello lit dans les

pensées. Avant que j'aie eu le temps de me baisser, il avait filé. Il a couru aussi vite que ses petites pattes le lui permettaient, en direction de l'internat, où il était sûr de trouver de bonnes cachettes. Je me suis lancé à sa poursuite. Soudain, j'ai aperçu les Après-Rasage sortant par la porte de derrière. Oh, non, il ne manquait plus qu'eux !

Les Après-Rasage sont une bande d'élèves de Terminale qui passent leur temps à s'asperger d'eau de toilette parce qu'ils pensent que ça fait craquer les filles. Ils se prennent pour des caïds et se la jouent en permanence. Nous autres, les plus jeunes, ils nous traitent comme des bébés et ne ratent jamais une occasion de nous dénoncer à la directrice.

À coup sûr, ils allaient découvrir Bello et alors… Alors, ce serait une vraie catastrophe !

2
Bello se fait avoir

Bello sait parfaitement qu'il doit toujours rester discret. Je vous ai déjà raconté qu'il avait été dressé par un agent secret ? Il connaît un nombre incroyable de petits trucs et peut même communiquer par signes, avec ses pattes.

Cet après-midi-là, pour éviter d'être vu, il a longé une haie et rejoint la serre où Bisou-Bisou fait pousser ses légumes ; de là, il a progressé de plate-bande en plate-bande en prenant soin à chaque fois de se cacher derrière les plantes.

Malheureusement, ce mercredi était le jour

choisi par notre cher cuisinier pour répandre de l'engrais sur ses cultures. De l'engrais naturel, une sorte de compost qui sentait la pomme de terre pourrie, le lait caillé et le poisson pas frais. Rien de mieux pour renforcer l'odeur déjà insupportable de Bello !

Le jardin se termine par une sorte de trou où Bisou-Bisou jette ses ordures ; restes de repas, mauvaises herbes, aliments avariés… Tout ça, au fil de l'année, se transforme en fumier bien odorant. Le matin même, il y avait versé un seau entier de croûtes de fromage moisies.

Bon, je ne vais pas accabler Bello en prétendant qu'il a sauté dans ce trou *exprès*. La vérité, c'est qu'il a eu un petit moment d'inattention et qu'il a atterri au beau milieu de cette infection. À partir de là, on peut dire qu'il avait tiré le gros lot, et gagné le titre de Super-méga-bombe-puante-puissance-dix de l'année. J'ai même cru une seconde qu'il allait s'évanouir, tellement l'odeur qu'il dégageait était forte. Mais non, il a rampé hors du trou, avant de trottiner le long d'un muret, direction l'internat.

Que les Après-Rasage ne l'aient pas remarqué tient tout simplement du miracle. Bello était à un ou deux mètres d'eux quand ils se sont tous mis à lorgner une fille qui s'approchait, une nouvelle interne. Notre chien en a profité pour se frayer *incognito* un chemin entre leurs jambes et se glisser dans le bâtiment par une porte entrouverte.

Une odeur absolument répugnante a aussitôt

enveloppé la bande de frimeurs de Terminale occupés à faire les yeux doux à la nouvelle. Arrivée à leur hauteur, celle-ci a soudain froncé les sourcils et s'est bouché le nez d'un air dégoûté. Puis elle a tourné la tête et s'est éloignée en s'éventant avec la main. Les Après-Rasage ont rougi jusqu'aux oreilles en échangeant des regards soupçonneux. Ils devaient se demander lequel d'entre eux avait oublié de se laver depuis huit jours.

C'était bien fait ! Ça leur apprendrait à se prendre pour des Don Juan !

Je suis passé derrière eux à mon tour, sans qu'ils me causent, pour une fois, le moindre problème. J'ai ensuite suivi les traces de pattes boueuses sur le sol, meilleur moyen – en plus de l'odeur – pour pister Bello. Contre l'odeur, je ne pouvais rien, mais les traces, je me suis appliqué à les effacer avec mes chaussures au fur et à mesure que j'avançais. Personne à l'internat ne devait se douter de la présence de ce petit pensionnaire !

Comme je vous le disais, il y a une chose que Bello craint encore plus qu'un marin ne craint un cyclone : le bain. Il a une sainte horreur de l'eau. Il était donc prêt à tout pour ne pas être retrouvé.

Il a filé droit vers nos chambres, mais ni le lit de Julie, ni l'armoire en désordre de Bastien, ni ma malle de marin au long cours ne lui ont semblé des cachettes sûres. Il a donc visité plusieurs étages, montant et descendant les escaliers sans répit. Heureusement, en ce jour de sortie, il y avait peu de risque qu'il croise quelqu'un.

Tout à coup, Bello Bond a perçu un petit tintement métallique. Ce bruit, qu'il connaissait par cœur, faisait automatiquement gargouiller son ventre toujours affamé : c'était celui du médaillon de son collier cognant le rebord de sa gamelle. Dès qu'il pense à de la nourriture, Bello perd une bonne part de son intelligence. Dans sa tête, tintement du médaillon = manger = bonheur immédiat ; il a donc foncé sans réfléchir vers l'endroit d'où provenait le bruit.

La délicieuse odeur de poisson s'échappant d'une porte entrouverte lui a ôté le peu de prudence qui lui restait. Il s'est glissé dans l'entrebâillement et, aussitôt, une main rapide et ferme l'a agrippé au cou.

Cette main, c'était la *mienne*! Mon stratagème avait marché. Bello Bond était tombé dans le panneau, et se retrouvait coincé dans notre salle de bains commune, à Bastien et à moi. J'ai immédiatement refermé la porte derrière lui ; hélas, elle n'avait pas de verrou. Bello s'est tapi dans un coin, le corps tremblant, cherchant à se faire aussi petit que possible. Je savais qu'il allait jouer la comédie pour éveiller ma pitié. Il s'est mis à geindre et à pousser des cris plaintifs, comme si je m'apprêtais à le battre. Mais ça ne prenait pas. Rien ne pouvait me faire fléchir.

Je me suis approché de lui en me pinçant le nez. De l'autre main, j'ai ouvert le robinet de la baignoire. Puis, du bout des doigts, j'ai détaché son collier et son foulard rouge, avant de le placer fermement sous le jet d'eau, où j'ai eu toutes les peines du monde à le maintenir. Je venais de verser sur lui une demi-bouteille de shampoing parfumé à la mandarine quand on a frappé à la porte.

– Qui est à l'intérieur ? a demandé une voix aiguë.

C'était Mlle Barbichon, la directrice. Elle n'est plus toute jeune, et elle a des manières de grande dame. Bastien l'a surnommée Balai Ambulant parce qu'elle se tient aussi raide et droite que si elle avait avalé un balai.

J'ai imaginé le pire. Balai Ambulant allait pousser la porte de la salle de bains et découvrir

Bello Bond. Alors, notre chien adoré serait chassé de l'internat, et finirait probablement dans un chenil.

3
Gare aux punaises !

– Qui est là-dedans ? a insisté la directrice.

Balai Ambulant est sévère, mais elle n'est pas injuste. Elle ne punit jamais quelqu'un simplement parce qu'elle est de mauvaise humeur.

J'avais des raisons d'espérer qu'elle n'entrerait pas. En effet, on était au deuxième étage, celui des garçons. En poussant cette porte, Balai Ambulant risquait de se retrouver nez à nez avec un préadolescent tout nu, ce qui l'aurait fait mourir de honte.

Elle a donc préféré appeler l'un des sur-

veillants. Personne ne lui a répondu. C'était leur jour de sortie, à eux aussi.

– Fort bien ! dit-elle. Pour la dernière fois : qui est dans cette salle de bains ? C'est votre dernière chance !

– C'est moi, Lucas ! ai-je répondu.

– Lucas ? Mais… que fais-tu ici à une heure pareille ?

– Ah… je… heu…C'est que… je… Enfin…

Tonnerre de tonnerre de tonnerre ! Trouver des bonnes excuses n'a jamais été mon fort ; je me sentais aussi désemparé qu'un hippopotame en train d'essayer d'apprendre à nager le dos crawlé.

– Lucas, si tu ne me donnes pas une réponse claire, j'entre ! a-t-elle menacé.

Avez-vous déjà eu l'impression d'avoir la tête aussi vide que la coquille d'un œuf qu'on vient de gober ? C'est exactement l'état dans lequel j'étais. Je ne savais absolument pas quoi inventer.

– Bien, a poursuivi Mlle Barbichon. Je vais compter jusqu'à trois ! Un…deux…

Elle a appuyé sur la poignée, poussé la porte,

mais tout ce qu'elle a vu, c'est le rideau fermé de la baignoire. Du pommeau de la douche jaillissait une eau bouillante qui répandait dans toute la pièce un épais nuage de vapeur sentant la mandarine. Enfin, je devrais plutôt dire la mandarine et le purin. L'odeur était assez répugnante.

Vous avez deviné ce que j'avais fait ? Oui, j'avais grimpé tout habillé sous la douche, Bello serré dans mes bras !

Je me suis raclé la gorge :

– Vous vous souvenez ? Un jour, vous nous avez dit de prendre des douches plus souvent… Alors voilà, j'ai décidé de suivre votre conseil.

Balai Ambulant n'a fait aucun commentaire, mais je l'ai entendue renifler autour d'elle :

– Qu'est-ce que c'est que cette odeur bizarre ?

– Ah ! Vous l'avez notée, vous aussi ? ai-je bredouillé. Ça pue sacrément, hein ?… Pardon, je veux dire, cela sent mauvais, n'est-ce pas ? Et c'est pareil dans tout l'internat ! À mon avis, il y a un nid de punaises quelque part. De punaises, euh… puantes. C'est terrible, ces bestioles. Elles s'engouffrent à l'intérieur par les fentes des murs, et ensuite elles envahissent tout. Elles dégagent une odeur si infecte que ça vous coupe le souffle.

J'étais prêt à parier qu'en entendant parler de « punaises puantes », Mlle Barbichon, raffinée comme elle l'était, s'empresserait d'aller se nettoyer les oreilles, de crainte d'être salie par des mots aussi dégoûtants. J'avais tort : elle n'a pas bronché.

Elle s'est contentée de marmonner d'un air préoccupé :

– Cela fait un moment que je soupçonne la présence de vermine dans cette maison. Contre une pareille calamité, une seule solution : agir !

Sur ces paroles, elle a tourné les talons. Il était temps ! Bello Bond gigotait tellement que je n'aurais pas pu le retenir une seconde de plus. J'ai continué à le frotter énergiquement pour faire disparaître toute la saleté. Son poil est redevenu à peu près blanc : quant à l'odeur, je ne suis arrivé qu'à le faire sentir la mandarine pourrie, pour son plus grand plaisir.

Mon excuse bidon au sujet des punaises allait se révéler lourde de conséquences. Le soir même, à la fin du dîner, Balai Ambulant s'est levée et d'un geste de la main a imposé le silence à tout le réfectoire. Le brouhaha s'est estompé et, quand on n'a plus entendu une mouche voler, elle a annoncé d'une voix ferme :

– Chers élèves, je crains que notre vénérable établissement n'héberge des hôtes indésirables. Des punaises ont probablement envahi nos murs. J'ai donc téléphoné aux services d'hygiène pour qu'ils nous débarrassent de ce fléau au plus vite. Un employé viendra demain à la première heure.

Immédiatement, tout le monde s'est mis à commenter la situation. Le bruit a repris de plus belle. Mais Mlle Barbichon n'avait pas terminé. Elle a fait appel à Bisou-Bisou pour qu'il frappe vigoureusement deux couvercles de casseroles l'un contre l'autre. Les conversations ont stoppé net.

– C'est pourquoi, a-t-elle poursuivi, je vous prie d'être attentifs et de m'indiquer tous les endroits où cela p… je veux dire, où cela sent particulièrement mauvais. De cette façon, nous parviendrons à terrasser l'ennemi.

Épouvantés, Julie, Bastien et moi, nous nous sommes regardés en pensant la même chose. Bien que sa cachette se trouve au dernier étage de l'internat, l'odeur de Bello Bond était si forte qu'il allait se faire repérer depuis le rez-de-chaussée.

Julie s'est levée, l'air décidé :

– Il faut que Bello quitte le Château. Il n'est plus en sécurité dans l'appartement de Barbe Fleurie.

Barbe Fleurie, c'est notre prof de biologie. En fait, il s'appelle Balthazar Meyer. C'est le plus vieux professeur de cette école. Il n'y a pas si longtemps, il vivait encore dans un appartement avec terrasse, au dernier étage du Château, c'est-à-dire de l'internat. Malheureusement, l'hiver dernier, il a fait une mauvaise chute et s'est cassé la jambe. Depuis, marcher le fait souffrir. Comme il veut continuer d'enseigner et qu'il ne peut plus monter les escaliers, Balai Ambulant lui a proposé un deux-pièces au rez-de-chaussée. Son ancien appartement est resté vide.

Au fil des années, Barbe Fleurie avait aménagé un magnifique jardin sur sa terrasse. Il aurait été vraiment dommage que celui-ci soit laissé à l'abandon, vous ne trouvez pas ? C'est pourquoi Julie, Bastien et moi, ses élèves préférés, on lui a offert d'entretenir son petit paradis.

Évidemment, ce n'était pas par passion du jardinage. On a tout de suite vu l'avantage qu'on pouvait en tirer : quelle meilleure cachette pouvait-on rêver pour Bello Bond ?

Après le dîner, on a filé au quatrième étage. Dans le logement, aucune trace de notre chien ;

l'odeur, en revanche, nous signalait qu'il était bien là !

Soudain, l'un des os en caoutchouc avec lesquels il aime jouer a atterri à nos pieds. Étonnés, on a levé la tête. Ce coquin de Bello Bond nous regardait du haut de l'armoire en frétillant de la queue. Adroitement, il a sauté sur la commode ; de là, il a rebondi sur le sofa avant d'atterrir en douceur sur le sol. Puis il a tranquillement ramassé son os et a refait le chemin en sens inverse, prêt à recommencer son petit jeu.

C'est Julie qui lui a parlé :

– Bello, il faut que tu partes d'ici pendant quelques jours. Tant que tu sentiras mauvais et que l'employé des services d'hygiène sera là, tu es en danger.

Notre chien détective s'est alors mis sur le ventre et a blotti son museau entre ses pattes avant. Cela signifiait : « Oh, non ! Vraiment, vous êtes sûrs ? »

– Oui, mon petit putois, a répondu Bastien en montant sur une chaise pour le gratter doucement entre les oreilles, on est sûrs.

Julie a ouvert son sac et a préparé les affaires de Bello, c'est-à-dire sa gamelle et sa couverture ; en fait, ses trois couvertures : un de mes vieux pull-overs, une écharpe usée de Bastien et un T-shirt que Julie ne met plus. Tous ces vêtements portent encore notre odeur, ce qui rassure notre protégé. Une fois le sac prêt, Bello Bond a sauté dedans. Il tenait serré entre ses dents l'os en caoutchouc : il n'était pas question qu'il s'en aille sans son jouet !

L'heure du départ avait sonné. Il ne restait plus qu'un détail à régler : *où* emmener Bello Bond ?

4
Haut les mains !

Julie a été la première à avoir une idée :

– Si on le cache au centre équestre, a-t-elle annoncé, personne ne le trouvera.

En entendant le mot « centre équestre », Bastien et moi, on a levé les yeux au ciel. Depuis quelques semaines, Julie avait une folle passion pour les chevaux, et tous les prétextes étaient bons pour se rendre là-bas. Des chevaux, avec elle, on en voyait partout. Sur les murs de sa chambre, il y avait des posters plus ou moins grands ; sur son sac à dos, des stickers, de même

B

que sur sa trousse et sur ses cahiers de classe. Ils étaient seuls ou en groupe, au pas, au trot, au galop… Bref, c'était devenu une véritable obsession. Pour se moquer d'elle, on lui a dit qu'on l'entendait hennir pendant son sommeil et faire des ruades dans son lit, la nuit.

Toujours est-il que Julie passait un week-end sur deux au centre équestre de M. et Mme Lhermite. Elle nous a expliqué en long et en large tout ce qu'on devait savoir sur le crottin de cheval, ses vertus et ses bienfaits. N'allez surtout pas imaginer que, Bastien et moi, on n'aime pas les chevaux. Non ; mais trop, c'est trop !

En voyant nos mines peu enthousiastes, Julie s'est mise en colère :

– Oh, pas la peine de faire cette tête-là ! L'écurie du centre équestre est la meilleure des planques ! Vous pouvez me croire !

On était loin d'en être persuadés. Même Bello Bond nous a signalé, par un long bâillement, qu'il en doutait, lui aussi.

– Très bien, siffla Julie. Alors, proposez autre chose !

Elle nous connaissait par cœur, Julie, elle

savait qu'elle touchait là notre point faible. Évidemment, nous n'avions aucune autre idée. Il a bien fallu opter pour sa solution. Il ne nous restait plus qu'à aller visiter ce fameux centre équestre où Bello Bond devait passer ses vacances forcées. Sans se faire prier, Julie a empoigné le sac ; deux minutes plus tard, on traversait le parc.

Par beau temps, on a la permission de jouer jusqu'à huit heures ; personne ne nous a donc demandé ce que nous faisions dehors. Derrière la serre, dans le mur du parc, se trouve une petite porte entièrement cachée par du lierre sauvage. C'est Bello Bond qui l'a découverte il y a quelque temps. Il s'est empressé de nous la montrer et, depuis, on l'emprunte chaque fois qu'on veut sortir discrètement du collège.

Il nous a fallu près de trois quarts d'heure pour atteindre le centre équestre. Une fois arrivée, Julie, les yeux brillants, a lancé :

– N'est-ce pas un endroit magnifique ?

J'ai pouffé. Bastien, lui, a enfoncé les mains dans les poches de son blouson et a répondu d'un air dégagé :

– Ma gazelle, pour l'instant, tout ce que je vois, c'est un hangar à moitié en ruine !

Les narines de Julie se sont mises à frémir, signe qu'elle était furieuse :

– Comment ça, un hangar ? Pauvre idiot ! Ce hangar, comme tu l'appelles, c'est la maison des Lhermite. Ce n'est même pas l'écurie. L'écurie est là, devant toi, ajouta-t-elle en désignant un long bâtiment muni de plusieurs portes en bois.

Chacune d'entre elles était constituée de deux battants qui s'ouvraient l'un en haut, l'autre en bas. À l'intérieur, on entendait le piétinement des chevaux.

Julie n'avait pas fini de tempêter :

– Vous êtes vraiment des nigauds ! Même un éléphant au milieu de votre chambre, vous seriez incapables de le reconnaître !

Elle a ouvert son sac pour libérer Bello Bond ; impatient de se dégourdir les pattes, il s'est aussitôt mis à courir de tous les côtés.

C'est à ce moment-là que j'ai eu un pressentiment étrange. Je vous l'ai déjà expliqué, non ? J'ai eu la sensation que quelque chose ne tournait pas rond dans cet endroit. À peine avais-je ouvert la bouche pour en toucher deux mots à Julie et à Bastien qu'ils m'ont ordonné de me taire. Pour eux, je déraillais, comme d'habitude. Mais, moi, je fais toujours confiance à mon sixième sens. Et je me trompe rarement.

Julie s'est dirigée vers l'écurie, et nous l'avons suivie. Elle a ouvert la plus large et la plus haute des portes : une odeur tiède et âcre de crottin et de paille nous a immédiatement chatouillé le nez.

Julie nous a conduits tout droit vers les boxes où se trouvaient les poulains. Nous en avons compté sept. L'un d'entre eux avait une robe couleur de sable et des oreilles incroyables, bien plus grandes que la normale. Au lieu de se terminer en pointe, elles retombaient, ce qui lui donnait un air parfaitement comique.

– Voici Pharaon ! dit Julie. Vous vous souvenez du portrait de Toutankhamon ?

Je voyais à quoi Julie faisait allusion.

En classe, notre professeur d'histoire nous avait montré la photo d'un masque d'or. C'était le visage de la célèbre momie du pharaon

Toutankhamon, dont le tombeau a été retrouvé il y a un siècle.

– Le symbole du pouvoir des pharaons, a poursuivi Julie, n'était pas une couronne, mais une sorte de foulard noué sur la tête. Au sommet, ses deux extrémités étaient recourbées, à gauche et à droite, exactement comme les oreilles de notre Pharaon. C'est de là que lui vient son nom. Et vous savez quoi ? Je l'ai vu naître !

Julie a caressé les naseaux du poulain et lui a flatté le cou avec douceur. Pharaon a poussé un

petit hennissement de joie, avant de secouer vigoureusement la tête. Il semblait impatient de recevoir d'autres caresses.

– Oui, oui ! a murmuré Julie. Tu es le meilleur, le plus beau et le plus gentil.

Aussitôt, Bello Bond s'est mis à aboyer comme un fou. Visiblement, il était jaloux qu'on s'occupe de quelqu'un d'autre. Après tout, c'était pour lui qu'on était là !

– Pardon, a rectifié Julie. Le meilleur, le plus beau et le plus gentil, c'est toi. Mais Pharaon arrive juste après...

Bello Bond l'a considérée pendant quelques secondes, la tête penchée. Puis, estimant que cette réponse lui convenait, il s'est approché de Julie, qui l'a pris dans ses bras et a grimpé sur une échelle.

Juste au-dessus du box de Pharaon, on avait construit une sorte de réduit pour entreposer de la paille. Julie y a mis la couverture de Bello et sa gamelle, dans laquelle elle a vidé le contenu d'une boîte d'aliments pour chats.

Bello Bond n'est pas un amateur de viande. Ce qu'il préfère, ce sont les légumes, les gâteaux secs, et surtout le poisson. Et, comme il est difficile, pour ne pas dire impossible, de trouver des conserves de poisson pour chiens, on lui achète toujours des boîtes pour chats, sauf qu'on décolle les étiquettes pour les remplacer par des images de chien. Car, si Bello Bond découvrait un jour qu'on lui donne de la nourriture destinée à de vulgaires félins, je ne vous explique pas la scène qu'il nous ferait ! Eh oui, les chiens aussi ont leur dignité !

Bello a terminé de manger, puis j'ai rempli sa gamelle d'eau. L'heure était venue de lui dire au revoir. Il l'a bien saisi. Il savait que nous n'étions pas fâchés contre lui et que nous ne l'abandonnions pas. Mais il paraissait triste, et un peu déçu : il ne comprenait pas pourquoi la délicieuse odeur qu'il dégageait l'obligeait à quitter l'internat. Il s'est blotti dans le foin en nous tournant le dos.

À la sortie de l'écurie, une surprise nous attendait. Un homme assez petit, pas plus épais qu'un fil de fer, les jambes arquées, nous barrait le chemin. Dans sa main, il tenait une fourche, pointée dans notre direction :

– Qu'est ce que vous cherchez par ici, bande de vauriens ? lança-t-il d'une voix éraillée.

On est d'abord restés bouche bée, ne sachant que faire. Puis on s'est souvenus des films de gangsters, et on a levé les mains en l'air.

5
La pièce à conviction

L'homme n'avait plus un cheveu sur le crâne, et il lui manquait pas mal de dents. Son visage était rond et rougeaud. Des poils blancs couvraient son menton. Il était vêtu d'une chemise à carreaux rouges et blancs et d'un pantalon à rayures. Ses habits étaient vieux et froissés.

– Fichez le camp ! aboya-t-il en agitant sa fourche. Ou bien je…

Ce qu'il voulait nous dire ensuite, nous ne le saurons jamais ; soudain, une sorte de râle s'est

échappé de sa bouche. Il a essayé d'aspirer de l'air, tout en toussant.

Il a fini par laisser tomber sa fourche par terre et sa figure a viré au cramoisi.

Au même moment, un jeune couple a surgi de la maison en courant. Ils ont pris le vieil homme chacun par un bras en lui parlant doucement :

– Voyons, papa, qu'est-ce que tu fais dehors ? Le médecin t'a pourtant recommandé de rester au lit !

En apercevant Julie, la femme lui a adressé un signe de la tête :

– Qu'est-ce qui t'amène ici à une heure pareille ?

Sans attendre la réponse, elle a aidé le vieil homme à entrer dans la maison. Au bout de quelques instants, elle est revenue et nous a serré la main. Julie nous a présentés : la jeune femme, c'était Chloé Lhermite. Son beau-père, le personnage pas très sympathique que nous venions de rencontrer, était le propriétaire du centre équestre.

– Il est âgé et malade, a-t-elle soupiré. Dans sa tête, tout se mélange, et je dois avouer qu'il nous cause pas mal de soucis. Je suis désolée, il a dû vous prendre pour des cambrioleurs. François, mon mari, et moi, nous allons le faire hospitaliser. Il doit être soigné. Quand il s'agite, il n'arrive plus à respirer. Un de ces jours, il va s'étouffer.

Pendant qu'elle parlait, Bastien l'examinait de la tête aux pieds. Il fait ça tout le temps avec les gens qu'il ne connaît pas. Parfois, c'est franchement embarrassant. Mais, là, je comprenais un peu mon ami : Chloé Lhermite n'était pas désagréable à regarder. Elle correspondait assez bien à la définition que les Après-Rasage donnent de certaines filles : « torride ». Ses cheveux d'un blond roux tombaient en cascade sur ses épaules, et elle portait un pull-over blanc, aussi moulant que son jean noir. À cause de son joli nez fin, Bastien l'a immédiatement baptisée Nez Pointu.

François Lhermite est venu rejoindre sa femme et a posé sa grosse main sur son épaule.

Quand il souriait, on avait l'impression que sa bouche reliait ses deux oreilles. Sans hésiter, Bastien l'a surnommé Trait d'Union. Il mâchonnait en permanence un brin de paille ou un petit morceau de bois.

– Ça y est, j'ai téléphoné, a-t-il annoncé à sa femme. Mon père entre à l'hôpital ce soir. Ils vont envoyer une ambulance. Quel soulagement ! Là-bas on s'occupera bien de lui, et il ne fera pas de scandales.

À l'étage de la maison, une fenêtre s'est alors ouverte, et la tête du vieil homme a surgi :

– Bande de crimi…, a-t-il proféré, sans pouvoir aller jusqu'au bout.

Il a brandi un poing en poussant des cris inintelligibles, mêlés à des sortes de gémissements.

– Mon Dieu, c'est vraiment gênant ! a commenté Chloé. Je crois que vous feriez mieux de partir. Au fait, Julie, tu ne m'as toujours pas dit pourquoi vous étiez venus ?

Julie est une championne du bluff.

– Eh bien, a-t-elle répondu, parce que je voulais montrer Pharaon à mes amis.

Évidemment, on n'a pas soufflé mot sur Bello Bond. Le risque était bien trop grand : pour rien au monde on ne voulait le perdre.

Aux environs de neuf heures, nous étions de retour à l'internat. Avec mon pessimisme habituel, je me disais qu'au mieux on trouverait la grille fermée ; on serait alors obligés de tambouriner à la porte jusqu'à ce qu'on nous ouvre. Et, au pire, on croiserait les Terminales…

Ces types-là prennent un malin plaisir à nous embêter, nous les plus jeunes. Dès qu'ils nous coincent, ils nous collent des punitions. Par exemple, copier cent fois une phrase débile du genre « Je dois obéissance et respect à mes aînés » ou alors ranger et nettoyer leurs chambres à fond.

En atteignant la serre, on n'en menait pas large. Mais, en une seconde, on s'est sentis soulagés. Les Après-Rasage étaient bien là, à leur poste, en train de guetter leurs prochaines victimes. Seulement… ils fumaient.

Mlle Barbichon n’était pas exagérément sévère ; mais, quand elle surprenait un élève avec une cigarette aux lèvres, elle devenait plus redoutable qu’un cyclone.

Soudain, la présence des Après-Rasage n’a plus du tout inquiété Bastien.

Il s’est avancé vers eux de son pas le plus décontracté. Il a redressé le col de sa veste, histoire de frimer un peu, et a marché droit vers la grille comme si de rien n’était. On aurait dit qu’il faisait une balade digestive.

Julie et moi, on le suivait, pas très rassurés.

En nous apercevant, l'un des Après-Rasage s'est mis à ricaner :

– Alors, vous trois, c'est à cette heure-ci qu'on rentre ? Pareil retard mérite une punition. Ça tombe à pic, nos chambres ont besoin d'un bon coup de balai. À trois, vous ne serez pas de trop. Y a au moins pour une semaine de boulot.

Tous les autres ont éclaté de rire.

Croyez-moi, les élèves de lycée sont plus nuisibles qu'une armée de termites dans les soutes d'un vieux vaisseau en bois. Parole de corsaire !

Bastien n'a pas perdu son calme. Il les a regardés droit dans les yeux et leur a dit d'une voix pincée :

– Mes braves, vous feriez mieux de nous laisser passer et de vous comporter en élèves modèles. Sinon, Mlle Barbichon recevra ceci.

Rapide comme l'éclair, il a sorti de sa poche un appareil photo miniature.

Avant que les Après-Rasage aient eu le temps de réagir, la lumière du flash les avait éblouis. Ils étaient fixés sur la pellicule, avec leur air hébété, et surtout avec leurs cigarettes. Vous auriez dû voir leur tête ! Ils étaient plus penauds que Bello Bond quand il rapporte une de nos chaussettes après l'avoir mise en lambeaux pour s'amuser, et qu'il ne comprend pas pourquoi on est en colère !

Julie, Bastien et moi, nous n'avons pas demandé notre reste. Nous étions déjà loin lorsqu'ils ont réalisé qu'ils auraient pu, par exemple, nous confisquer la pellicule.

On s'est précipités dans nos chambres en fermant la porte à double tour.

Munis d'une pareille pièce à conviction, nous étions certains que les Après-Rasage ne nous mèneraient plus la vie dure.

Évidemment, nous avons caché l'appareil dans un endroit sûr pour qu'il ne tombe pas entre leurs mains. Puis, épuisés, nous sommes allés nous coucher.

Au beau milieu de la nuit – je ne me souviens plus de l'heure qu'il était –, j'ai été réveillé par des aboiements insistants.

À ma grande surprise, Bello était sous notre fenêtre. Il nous appelait en agitant sa patte droite.

Nous savions ce que ce geste voulait dire. C'était un signal. Quelque chose était arrivé.

Quelque chose ? Mais quoi ?

7

Kidnappés !

« Attention ! Danger ! » Voilà ce dont nous avertissait Bello. Mais de quel danger s'agissait-il ? Pourquoi notre chien détective, agent secret 001, était-il revenu et prenait-il le risque d'aboyer sous les fenêtres de l'internat en pleine nuit ? Jamais il ne s'était comporté ainsi.

– Hé ! Tais-toi, tu vas réveiller tout le monde ! ai-je chuchoté.

Il a fini par obéir, mais il continuait à agiter sa patte. C'était clair : il nous demandait de le rejoindre immédiatement !

J'étais inquiet. Un événement grave s'était sûrement produit.

Bastien dormait profondément. Le réveiller n'a pas été une mince affaire ! D'abord, il fallait atteindre le lit. Il faisait noir, et à chaque pas je posais le pied sur les objets les plus divers : des boîtes, avec ou sans leur couvercle, certaines remplies de clous, une brosse à cheveux, une brosse à dents, un gobelet, une équerre, et… aïe ! trop tard… un compas, dont la pointe s'est plantée dans mon orteil. Ne riez pas, ça fait très mal !

Quand Bastien dort, il dort. Une salve de canon tirée à deux centimètres de son oreille ne le réveillerait pas. Alors, je me suis dit : aux grands maux, les grands remèdes ! Je suis allé remplir un verre d'eau glacée, que je lui ai versée sur la tête. La réaction a été instantanée.

– Hé, arrête ! a-t-il hurlé en sautant sur ses pieds. T'es complètement débile, espèce de macaque !

Comme on n'avait guère le temps d'échanger des politesses, je l'ai rapidement mis au courant de la situation.

Julie, qui avait elle aussi entendu l'appel de Bello, nous a retrouvés dans l'escalier. On est sortis, et Bello Bond s'est précipité à notre rencontre pour nous faire la fête. Puis il a agrippé le bas de mon pantalon et a fermement tiré dessus, pour bien nous faire comprendre qu'il voulait nous montrer quelque chose. Ensuite, il s'est élancé vers le mur du parc. On l'a suivi en courant. Bientôt, on s'est retrouvés sur la route du centre équestre !

On est arrivés hors d'haleine. À première vue, rien d'anormal. Aucune lumière ne brillait dans la maison ni dans l'écurie. Tout était calme.

– Qu'est-ce que tu as, Bello ? a demandé Julie. Que se passe-t-il ?

001 faisait de grands bonds devant l'écurie, tout en agitant la tête et la queue. Cela signifiait : mais pourquoi restez-vous plantés là ? C'est à l'intérieur que ça se passe !

L'une des portes à battants était ouverte. Après une brève hésitation, Julie s'est décidée à y passer la tête. L'écurie était plongée dans le silence et dans l'obscurité. On est entrés. Bastien avait eu la bonne idée d'emporter une lampe de poche. Il a éclairé les boxes : éblouis par le faisceau de lumière, les chevaux ont cligné des yeux.

– Eh bien, quoi ? Tout va bien, a bougonné Bastien, qui détestait être réveillé en pleine nuit. C'est si tranquille qu'on entendrait une puce se gratter.

Soudain, Julie a poussé un cri. Elle a pointé son doigt vers les boxes des poulains. Pharaon et trois de ses compagnons avaient disparu ! Bastien a dirigé la lampe vers le sol. Des traces de sabots menaient vers une porte à l'arrière de

l'écurie. On l'a poussée. Dehors, sur la terre mouillée, on voyait d'autres traces, toutes fraîches. On s'est baissés pour les examiner. Aucun doute ! C'était celles des pneus d'un petit camion et de sa remorque.

– Les poulains ont été enlevés ! s'est écriée Julie, bouleversée.

On ne peut vraiment pas dire que Julie soit une pleurnicheuse ; mais, là, elle n'a pas pu retenir ses larmes. Bastien et moi, on n'était à deux doigts de craquer, nous aussi. Bastien se balançait d'un pied sur l'autre, l'air embarrassé. Il avait perdu tout son flegme. Quant à moi, je ne pouvais m'empêcher de penser à Pharaon, à ses grands yeux doux et à ses drôles d'oreilles. Je l'imaginais entre les mains d'un homme cruel qui le brutalisait. Quand j'ai raconté ça, Julie s'est mise à pleurer de plus belle.

Bastien a inspiré et expiré plusieurs fois à fond. C'est sa façon à lui de mettre de l'ordre dans ses idées.

– Il faut tout de suite prévenir Nez Pointu et Trait d'Union, a-t-il déclaré. Ils ne savent pas que leurs poulains ont été enlevés.

Je n'étais pas vraiment emballé par sa proposition. Les Lhermite allaient sûrement nous poser un tas de questions. Que faisions-nous chez eux à une heure pareille ? Pourquoi n'étions-nous pas au lit ? etc.

J'avais une meilleure idée :

– Cherchons plutôt une cabine téléphonique. Mieux vaut leur donner un coup de fil anonyme.

Julie et Bastien ont accepté. On a emmené Bello Bond avec nous. Avec cette histoire d'enlèvement, notre chien n'était plus en sécurité dans le centre équestre. On marchait vers la route quand, soudain, 001 s'est arrêté en agitant une nouvelle fois la tête et la queue. En s'agenouillant près de lui, on a découvert par terre un mouchoir aux couleurs vives, tout poisseux. Il avait un aspect répugnant.

– C'est sans doute un indice, a dit Bastien sur un ton de professionnel. Ramassons-le. Peut-être qu'il nous conduira aux ravisseurs, qui sait ?

Son raisonnement était juste, mais personne ne voulait ramasser un indice aussi dégoûtant. Même Bello Bond a pris un air écœuré et a détourné la tête. Julie s'est finalement dévouée ; elle a tiré sa manche pour se recouvrir la main, a pris le mouchoir et l'a rapidement fait disparaître dans sa poche.

À quelques centaines de mètres du centre, on a enfin trouvé une cabine téléphonique. Julie a dicté à Bastien le numéro des Lhermite. Dès la première sonnerie, quelqu'un a décroché. C'était François.

Bastien a essayé de prendre une voix méconnaissable :

– Allô! Vos poulains ont été kidnappés. Vous devriez aller faire un tour dans votre écurie.

– Qui est à l'appareil ? s'est exclamé François à l'autre bout du fil.

Il a crié si fort qu'on a eu l'impression qu'il était à côté de la cabine.

– Ça ne vous regarde pas ! a répondu Bastien du tac au tac.

On a entendu un déclic. François avait raccroché.

Bastien s'est tourné vers nous.

– Alors, j'étais bien ? a-t-il demandé, l'air faussement modeste.

À mon avis, il aurait pu mieux faire, mais pour ne pas le vexer j'ai dit que oui.

– Et maintenant, on prévient la police, a ajouté Julie. Il faut qu'elle se rende au centre équestre le plus vite possible.

Cette fois, Bastien n'a pas maquillé sa voix, mais j'ai remarqué que ses mains tremblaient. Ce n'est pas tous les jours qu'on a affaire à des policiers !

Il leur a expliqué la situation en trente secondes, puis il a reposé le combiné.

De retour au Château, nous n'avons pas pu fermer l'œil. Nous n'arrêtions pas de penser à Pharaon. Qu'allait-il lui arriver ?

8
Une journée de cauchemar

Le lendemain, un jeudi, a été une journée de cauchemar.

Julie, Bastien et moi voulions absolument retourner au centre équestre pour comprendre ce qui s'était passé. On mourait d'impatience : il nous fallait savoir si la police était déjà sur la piste des ravisseurs.

Peu avant six heures, Julie a fait irruption dans notre chambre :

– Aujourd'hui, au programme : école buissonnière ! On va faire croire qu'on est malades et, dès que possible, on file au centre. On n'a qu'à dire... euh... je ne sais pas, moi... par exemple... C'est ça ! On a fait du bateau, tous les trois, le bateau a chaviré et on est tombés à l'eau. Et, comme l'eau était froide, on s'est enrhumés. Vous voyez ce que ça signifie ?

Julie n'avait pas besoin de nous faire un dessin. Bastien et moi, on s'est enfoncés sous nos couvertures en les tirant jusqu'au menton. On s'est vite mis à transpirer, et notre température a grimpé. C'est un truc vieux comme le monde que mon père m'avait appris.

Vers sept heures, Bastien est sorti de son lit, a entrouvert la porte du couloir et a demandé à un élève déjà debout d'aller prévenir Balai Ambulant que nous étions malades. Il est aussitôt revenu se glisser sous les couvertures. Ç'aurait été trop bête que sa fièvre retombe.

Au bout de cinq minutes, la directrice était là. On lui a servi l'histoire de nos mésaventures en canoë et du bain forcé dans l'eau glacée du lac. Elle a eu l'air sincèrement désolé.

Je dois vous avouer que je n'aime pas mentir

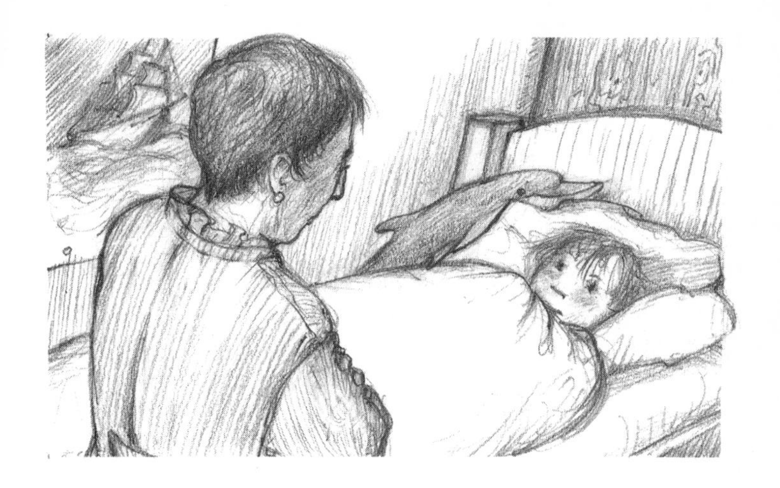

à Balai Ambulant, car elle est l'honnêteté même. Malheureusement, un jour pareil, je n'avais pas le choix. Le sort des poulains était beaucoup plus important que les cours.

Notre plan marchait à merveille ; sauf qu'on avait oublié un petit détail…

– C'est ce matin qu'arrive l'employé des services d'hygiène, nous a rappelé Mlle Barbichon. J'espère qu'il viendra rapidement à bout de ces – comment les appelez-vous, déjà ? – … punaises puantes. En tout cas, vous ne pouvez pas rester dans vos chambres. Je vais mettre mon appartement à votre disposition.

Un quart d'heure plus tard, Bastien et moi nous sommes retrouvés dans le lit de Balai Ambulant, tandis que Julie était installée sur le canapé. L'appartement se trouvait au rez-de-chaussée. La chambre de la directrice communiquait avec son salon, et le salon, avec son bureau… Comble de malchance, pour mieux veiller sur nous, elle avait laissé toutes les portes ouvertes !

On s'est regardés, tous les trois, cherchant ce qu'on pouvait faire pour s'échapper.

Soudain, une pensée effrayante m'a traversé l'esprit. Bello Bond avait réintégré l'appartement de Barbe Fleurie. En arrivant au quatrième étage, l'employé du service d'hygiène n'hésiterait pas à balancer une double dose de poison quand il sentirait l'odeur infecte qui y régnait. Et notre chien serait intoxiqué ! Il fallait intervenir, et vite !

Un peu après huit heures, on a sonné au portail de l'internat. Une minute plus tard, nous avons entendu la voix de Balai Ambulant :

– Cher Monsieur, nous vous attendions avec

impatience. Donnez-vous la peine d'entrer ! Nous avons hâte d'être débarrassés de ces maudits insectes.

Bastien s'est gratté la tête.

– 001 doit immédiatement nous rejoindre, a-t-il déclaré.

Avant qu'on réagisse, il a mis deux doigts dans sa bouche et poussé quatre petits sifflements rapides et stridents.

Pour Bello Bond, c'était un signal qui voulait dire : Viens nous retrouver, et surtout fais bien attention de ne croiser personne !

Julie s'est frappé le front.

– Mais tu es complètement fou ! a-t-elle chuchoté d'une voix cassée. C'est malin d'inviter Bello à venir empester l'appartement de Balai Ambulant !

Il était trop tard : les quatre coups de sifflet avaient été donnés, et Bello ne ferait pas marche arrière.

On n'a pas tardé à entendre ses griffes marteler le parquet. Puis sa petite tête est apparue dans le cadre de la porte. « *Salut, c'est moi ! Content de vous voir !* » semblait-il dire.

– Bravo, mon Bello ! a murmuré Julie. Mais tu ne peux pas rester ici.

Bello a penché la tête sur le côté : « *Il faudrait peut-être savoir ce que vous voulez !* »

Soudain, nous avons entendu une conversation : c'était Mlle Barbichon et l'employé qui redescendaient des étages.

– Par bonheur, expliquait la directrice, mon appartement n'a pas été contaminé. Vous pouvez vérifier.

Oh, non ! Par la jambe de bois pourrie du capitaine Kid ! Dans cinq secondes, ils allaient débarquer !

Vite, vite ! Complètement affolés, on s'est mis à chercher frénétiquement un endroit où cacher Bello Bond. En vain ! Il n'était nulle part à l'abri des regards : ni sous le lit ni sous l'armoire. La seule solution, c'était notre couette, à Bastien et moi, sauf que…

L'employé du service d'hygiène et Balai Ambulant, plantés devant la porte de la chambre, regardaient dans notre direction. On a aussitôt repris nos airs fatigués. Je craignais le pire pour Bello, car il devait forcément être dans le champ de vision de la directrice et de son hôte.

– Que diriez-vous d'une tasse de thé ? a demandé Balai Ambulant avec sa classe habituelle.

– Z'auriez pas plutôt une bière ? grommela l'homme en reniflant.

Je ne sais pas si vous l'avez observé, mais les gens finissent souvent par ressembler à leurs animaux ! L'employé des services d'hygiène ne faisait pas exception à la règle. À force de fréquenter les cancrelats et les punaises, il avait fini par leur ressembler. Ses gros yeux globuleux sur sa petite tête faisaient méchamment penser à ceux d'une mouche géante.

– M'dame, si je peux m'permettre, j'dirais que ça empeste aussi chez vous. Ça pue même tellement que ça donne envie d'vomir !

– Pardon ? s'est exclamée la directrice, offusquée.

– C'que j'veux dire, c'est que ces vilaines p'tites bêtes se sont aussi installées chez vous, pour sûr !

C'était on ne peut plus clair. Il a inspecté la pièce en reniflant bruyamment avant d'ajouter avec une grimace de dégoût :

– Franchement, je m'demande comment vous faites pour endurer une infection pareille. On dirait qu'on élève des cochons dans c't'appartement !

Choquée, Balai Ambulant a serré entre ses doigts son mouchoir en dentelle brodée. On voyait bien qu'elle n'avait qu'une envie : flanquer ce type grossier à la porte. Mais elle a réussi à se maîtriser. Après tout, il valait mieux qu'il termine d'abord son travail.

D'un pas lourd, l'homme à la tête de mouche a arpenté la chambre pour en inspecter tous les recoins. Soudain, son regard s'est arrêté sur…

Julie, Bastien et moi, on s'est enfoncés sous nos couvertures, consternés.

9
Qu'est-il arrivé à Pharaon ?

L'employé des services d'hygiène s'est tourné vers Balai Ambulant et lui a annoncé très solennellement :

– Puis-je faire une observation, *chère Madame* ?

Elle l'a dévisagé en fronçant les sourcils.

– Je crois que j'ai découvert le foyer d'origine de la vermine qui a envahi votre internat. Il est ici. Ça ne pue nulle part autant que dans votre chambre à coucher !

On a vu Mlle Barbichon faire de gros efforts pour garder sa dignité de chef d'établissement.

– Eh bien, dans ce cas, *cher Monsieur,* a-t-elle dit d'un air pincé, pourquoi ne pas vous mettre *immédiatement* au travail ?

Ça ressemblait plus à un ordre qu'à une invitation, vous pouvez en être certains.

Tête de Mouche a essuyé ses mains poisseuses sur son pantalon et a demandé :

– Et ma bière ?

– Monsieur, on ne sert pas ce genre de rafraîchissements ici.

Puis elle s'est éloignée, tête haute, plus digne que jamais.

Tête de Mouche se l'est tenu pour dit. Il a donné deux ou trois coups de désinfectant dans les coins, puis il est parti à son tour. On s'est aussitôt levés pour chercher Bello Bond, qui s'était volatilisé.

Vous ne devinerez jamais ce qu'il avait inventé !

Il s'était mis à plat ventre par terre, les pattes écartées au maximum, les yeux fermés et les oreilles repliées. L'homme du service d'hygiène avait dû le prendre tout simplement pour une descente de lit ! Quand il a vu qu'on l'avait

repéré, Bello a remué la queue pour montrer qu'il était bien vivant.

Balai Ambulant était retournée dans son bureau, d'où elle nous a appelés :

– Les enfants ! J'ai quelques courses à faire en ville. Je ne serai pas de retour avant midi. Avez-vous besoin de quelque chose ?

– Non, merci, mademoiselle Barbichon ! avons-nous répondu en chœur.

Elle avait à peine quitté son bureau et fermé derrière elle le portail de l'internat que nous

nous sommes rués dans nos chambres pour enfiler nos vêtements.

Une demi-heure plus tard, on était au centre équestre, où régnait la plus grande agitation. Une voiture de police était garée devant l'écurie, et deux hommes prenaient des photos du bâtiment. Une femme posait un tas de questions à Chloé Lhermite, pendant que François relatait les faits à un journaliste de la télévision locale.

Nous avons appris que non seulement on avait enlevé les poulains, mais que le vieux monsieur Lhermite, le père de François, avait disparu de l'hôpital sans laisser de trace. Personne n'avait la moindre idée de ce qu'il était devenu.

– Ces derniers temps il… il avait l'esprit embrouillé, expliquait Chloé en sanglotant. Il disait beaucoup de bêtises. Il a même proféré des menaces. Il disait… Il disait que les chevaux… que les chevaux devaient….

Elle n'a pas pu continuer. Elle pleurait si fort que son maquillage dégoulinait.

– Mon père est très malade, a déclaré Trait d'Union, le visage grave. Je veux dire, mentalement. Il ne sait plus ce qu'il fait…

Quand le journaliste en a eu fini avec ses questions, nous nous sommes approchés de Chloé et de François.

Julie n'avait pas voulu garder plus longtemps notre secret : elle a avoué aux Lhermite tout ce qu'on savait.

Nez Pointu et Trait d'Union nous ont regardés, ébahis. Puis, lentement, ils nous ont demandé :

– C'est... c'est vous qui avez téléphoné cette nuit ?

On a fait oui de la tête, comme un seul homme. De sa poche, Julie a tiré le mouchoir dégoûtant qu'on avait trouvé la veille.

– Il appartient à mon père ! s'est exclamé Trait d'Union. Je suis sûr qu'il a quelque chose à voir avec la disparition des poulains.... Je n'arrive pas à le croire ! Ça lui ressemble si peu. S'en prendre aux poulains... non, il en aurait été incapable. À moins que...

En essuyant ses larmes, Chloé s'était étalé du noir sur le visage. Elle ressemblait à un zèbre.

– Pourquoi êtes-vous venus ici la nuit dernière ? a-t-elle voulu savoir.

Julie a levé les yeux au ciel. De mon côté, je

me suis mis à observer avec un intérêt soudain le bout de mes pieds. J'avais noté que tout le monde, peu à peu, pliait bagage : la police, les journalistes, la télé....

Bastien, comme toujours, gardait son calme. Je voyais qu'il était en train d'inventer une histoire. D'un doigt, il a redressé ses lunettes de soleil sur son nez, a fait un pas vers les Lhermite et, sur le ton de la confidence, leur a dit :

– Voilà : nous avons fait un pari. C'était à celui qui serait le plus courageux. Lucas et moi, on est persuadés que les filles sont plus froussardes que les garçons. Julie, pour nous prouver le contraire, a décidé de traverser seule la campagne, en pleine nuit, jusqu'ici. Comme preuve de son exploit, elle devait nous rapporter une petite mèche de la crinière de Pharaon. Alors, évidemment, quand elle a vu que le poulain n'était plus là…

Julie et moi avons ravalé notre salive. Ce que racontait Bastien était complètement tiré par les cheveux, mais Nez Pointu et Trait d'Union n'ont pas eu l'air de s'en rendre compte.

Bastien a poursuivi en soupirant :

– Bien sûr, elle est tout de suite revenue pour nous avertir que Pharaon avait disparu. On a voulu vérifier, et la suite, vous la connaissez…

Il terminait de raconter son énorme bobard quand, soudain, j'ai entendu un petit bruit qu'il me semblait reconnaître, une sorte de couinement, pareil à celui que produit un os en caoutchouc quand un chien mord dedans. Sans aucun doute, Bello nous appelait. Malin comme il l'était, il avait compris qu'il valait mieux ne pas aboyer. Les choses étaient déjà assez compliquées, et on aurait eu du mal à expliquer sa présence.

On a salué les Lhermite, qui ont promis de nous tenir au courant de l'évolution de la situation. Puis on s'est précipités vers l'endroit d'où venait le bruit, impatients de voir ce que Bello voulait nous montrer.

Il était en pleine action, en train de fouiller dans une meule de foin, au beau milieu du box des poulains.

Tout le monde était parti. Il n'y avait plus que nous dans l'écurie.

– Ah non ! l'ai-je prévenu. Tu ne vas pas te rouler dans du crottin de cheval !

Mais Bello Bond ne m'écoutait pas. Il creusait dans la paille comme une pelleteuse en folie. Il a fini par disparaître entièrement sous le foin ; seul le bruit que faisaient ses pattes nous permettait de le repérer.

Puis, en jappant, il a émergé à la surface.

10
Une piste odorante

Entre ses dents, Bello Bond tenait une casquette en cuir. Bien sûr, ce n'était pas une belle casquette de capitaine comme la mienne, ni même une casquette de base-ball ! Ça ressemblait plutôt à un ballon de foot coupé en deux, auquel on aurait ajouté une visière, ornée d'une chaînette.

Notre chien détective a déposé sa trouvaille à nos pieds. Pendant que je ramassais la casquette, il a sauté aussi haut que ses petites pattes le permettaient en grognant férocement.

Bastien commençait à se croire dans un film policier ; il a pris son ton d'inspecteur de brigade criminelle :

– Je me demande si cet objet n'aurait pas un rapport avec la disparition des poulains.

Il avait certainement raison : la casquette pouvait très bien appartenir au ravisseur. C'était un élément clé pour notre enquête.

On l'a donc retournée dans tous les sens ; mais on a eu beau la palper, la toucher, l'examiner sous toutes les coutures, elle n'a pas livré le moindre indice. On a même déchiré la doublure pour voir s'il y avait quelque chose dissimulé à l'intérieur… en vain.

Julie a insisté :

– Regardons encore une fois. Il doit sûrement y avoir une adresse dedans !

– Oh ! Ça ne fait aucun doute, a ironisé Bastien, tout le monde sait que les bandits adorent laisser leurs coordonnées sur les lieux du crime. Parfois même, ils indiquent leur date de naissance, et leur pointure, au cas où on voudrait leur offrir une paire de chaussures !

Exaspérée, Julie a poussé un profond soupir. Brusquement, Bello Bond a aboyé comme un fou. J'ai été si surpris que la casquette m'est tombée des mains. C'est ce qu'il attendait. Il s'est jeté dessus, et a commencé à la renifler de sa petite truffe noire en émettant de petits sifflements d'impatience.

– Qu'est-ce qui t'arrive ? a demandé Bastien. Tu veux qu'on renifle ce truc, nous aussi ?

Bello Bond aboyait sans nous quitter des yeux. J'ai ramassé la casquette une deuxième fois, et je l'ai sentie. Elle était imprégnée d'un parfum qui était tout sauf discret. J'ai cherché à quoi ça me faisait penser. L'odeur rappelait vaguement l'air du grand large, l'écume et les embruns de l'océan…

Tout à coup, j'ai eu une idée :

– Les Après-Rasage ! me suis-je écrié. Peut-être qu'ils pourront nous aider !

Nous sommes donc retournés à l'internat en quatrième vitesse. L'employé des services d'hygiène avait quitté les lieux, et nous avons enfin pu regagner nos chambres. Tout le bâtiment était envahi par les relents du désinfectant généreusement répandu par Tête de Mouche dans chaque coin. C'était tout simplement écœurant. Le seul avantage, c'est que l'odeur de Bello Bond avait presque disparu. Lorsque Mlle Barbichon est venue prendre de nos nouvelles, nous lui avons dit que nous allions mieux. Elle a tout de même insisté pour que nous restions au lit jusqu'au soir.

Après le déjeuner, nous sommes allés trouver les Après-Rasage. Deux d'entre eux étaient à leur poste d'observation habituel, près de la grille, où ils guettaient le passage des filles.

– Si vous nous aidez, on vous rend la photo, a annoncé Bastien en leur tendant la casquette.

Les deux frimeurs ne se sont pas fait prier. Il faut dire qu'ils avaient tout intérêt à collaborer. Si notre pièce à conviction tombait entre les mains de Balai Ambulant, elle les renverrait immédiatement de l'internat.

Ils s'y connaissaient, en parfum. Ils les avaient tous essayés. À tour de rôle, ils ont reniflé la casquette en se la repassant plusieurs fois de suite, afin de faire durer le suspense. Ils se prenaient tellement au sérieux qu'on a dû se retenir pour ne pas pouffer. On les trouvait ridicules, comme toujours.

Après une longue réflexion, d'une voix grave, ils ont finalement fait tomber leur verdict :

– « Brise marine » !

Nous les avons regardés d'un air perplexe. Pour nous, c'était du chinois :

– « Brise marine » ?

– Sans aucun doute. C'est une eau de toilette bon marché, ont-ils ajouté avec dédain.

Bastien a fait la grimace. Cela ne nous arran-

geait pas. Bon marché ? Cela voulait dire que le premier venu pouvait l'acheter dans n'importe quelle supérette. Allez trouver un ravisseur avec ce genre d'indice !

Toutefois, les Après-Rasage se sont empressés de préciser :

– Cette eau de toilette a eu son heure de gloire. Elle a été à la mode pendant quelques mois. Maintenant, c'est fini. Elle est complètement *out*, et elle a disparu des rayons des supermarchés. Le seul endroit où on peut encore la trouver, à la rigueur, c'est chez Momo…

Momo, le roi de la promo ? Ça, c'était une bonne nouvelle !

Mais laissez-moi vous expliquer. « Momo, le roi de la promo », c'est le nom d'une boutique où, comme son nom l'indique, tous les produits sont en promotion. Elle n'est pas située très loin de l'internat. On y trouve absolument de tout, ou presque ! Du simple taille-crayon aux pneus de voiture ! Les prix sont vraiment très bas. C'est à croire qu'ils rapetissent de jour en jour. J'y fais très souvent des provisions de boîtes pour Bello Bond.

On a remercié les Terminales, puis, avec Bello, j'ai discrètement quitté l'internat par la porte secrète. Cinq minutes plus tard, j'étais devant la boutique, qui n'inspirait pas vraiment confiance, pas plus que Momo, pour être franc.

C'était un petit bonhomme chétif. J'imaginais que, les jours de tempête, il devait bourrer ses poches de pierres pour ne pas s'envoler, tellement il était maigre.

– Hé, quelle bonne surprise ! s'est-il écrié en me voyant entrer.

En fait, cela n'avait rien d'une surprise ; c'est la façon dont il salue tous ses clients. Les murs de sa boutique étaient recouverts d'affichettes, sur lesquelles des chiffres fluorescents, écrits à la main, avaient été plusieurs fois rayés pour faire place à une nouvelle offre spéciale, soi-disant de dernière minute…

Ainsi, la confiture de fraises avait changé au moins douze fois de prix. Mais, même à un prix aussi dérisoire, personne ne semblait en vouloir.

Sans perdre de temps, j'ai tendu la casquette au « roi de la promo » en lui demandant s'il connaissait son propriétaire :

– Il a dû acheter chez vous un parfum appelé « Brise marine », ai-je dit afin de lui rafraîchir la mémoire. Ça ne vous rappelle rien ?

Après avoir longuement examiné l'objet, Momo s'est gratté le crâne. Je m'impatientais.

– Ça y est ! a-t-il fini par répondre. Je crois que... je crois bien qu'il s'agit...

Mon cœur s'est mis à battre plus fort. J'étais certain d'être sur la bonne piste. Puis j'ai déchanté. Après un instant de silence, Momo a hoché vigoureusement la tête :

– Finalement, non, ce n'est pas lui. Je me suis trompé. Désolé, jeune homme, je ne sais pas... Mais pourquoi cette question ?

Je me suis bien gardé de lui répondre. J'ai bredouillé quelques mots de remerciement et suis sorti du magasin.

Pendant que je discutais avec Momo, Bello Bond, resté à l'extérieur, s'était dissimulé derrière un tas de cageots.

Je l'ai sifflé, mais il n'a pas bougé. Il trônait, l'air béat, sous les fruits et les légumes.

– Qu'est-ce qui se passe ? me suis-je écrié. Allez, viens, on s'en va !

Impossible de le faire déguerpir ! Quand j'ai voulu le saisir par le collier, il a attrapé mon pantalon et commencé à tirer dessus comme un forcené. De sa patte avant, il frappait le sol en hochant la tête de haut en bas, pendant que sa queue frétillait à toute vitesse. Il voulait que je vienne moi aussi derrière les cageots !

J'ai trouvé ça bizarre, mais j'ai fait ce qu'il me demandait.

Une fois accroupi près de lui, j'ai remarqué une ouverture dans le mur. C'était une sorte de bouche d'aération, fermée par un grillage à moitié rouillé. 001 y a passé sa truffe en reniflant bruyamment. Les oreilles dressées, il agitait la tête dans tous les sens. Je me suis penché... Soudain, j'ai entendu la voix de Momo :

– Je préfère te prévenir : il y a un gamin de l'internat qui est venu ici tout à l'heure, avec ta casquette. Tu peux me dire où il l'a trouvée ? Tu n'aurais pas quelque chose à te reprocher, toi, par hasard ?

Près de lui, une voix rauque et peu sympathique a marmonné une réponse qui ressemblait à un non.

– Je te préviens, Arno ! a continué Momo. Si tu as encore trempé dans une sale combine, ce n'est plus la peine de revenir ici !

Le dénommé Arno a grommelé :

– Ça va, fiche-moi la paix ! Et arrête de me faire la morale !

Il y a eu alors un grand tapage. Brusquement, la porte du magasin s'est ouverte, et j'ai vu surgir un grand type, très costaud. Les manches de sa chemise étaient retroussées, découvrant des bras musclés. Il répandait autour de lui les effluves d'un parfum que je n'ai eu aucun mal à reconnaître : c'était « Brise marine » !

Les poings enfoncés dans les poches de son pantalon en cuir, il a descendu la rue en sifflotant. Il envoyait voler loin devant lui toutes les pierres qui se trouvaient sur son chemin, crachait sur tous les arbres devant lesquels il passait, et donnait de méchants coups de pied dans les pneus des voitures garées le long du trottoir. Un vrai gentleman !

Heureux de ma découverte, j'ai félicité Bello Bond en le caressant affectueusement. Il avait fait du beau travail. Sans lui, je serais reparti bredouille.

Mais où allait donc ce type ? Le seul moyen

de le savoir, c'était de le filer. J'ai aussitôt chargé Bello Bond d'une mission urgente :

– Retourne à l'internat, et reviens avec Bastien et Julie !

Pour plus de sûreté, j'ai griffonné rapidement sur un morceau de papier : « *Venez vite ! Je suis sur une piste. Bello Bond vous conduira. Ça part de chez Momo le roi de la promo. Allez-y et demandez Arno ! »*

J'ai glissé le message dans le collier de 001, qui, sans attendre, a foncé en direction du Château.

De mon côté, je me suis mis à suivre Arno. J'avais les jambes en coton. Mon cœur battait à tout rompre. Je n'osais pas imaginer ce qui arriverait s'il remarquait ma présence. Il fallait que je reste le plus discret possible. J'ai donc avancé en me cachant derrière chaque arbre et sous chaque porche d'immeuble. Je ne sais pas si vous avez déjà essayé de prendre quelqu'un en filature, mais, croyez-moi, ce n'est pas de la tarte, surtout quand on a affaire à un gaillard aussi peu rassurant.

J'avais du mal à comprendre où il allait. Il marchait de plus en plus vite, et changeait tout le temps de direction, comme ça, sans prévenir. Je commençais à m'essouffler.

À la sortie de la ville, il a fini par s'arrêter près d'un petit bois avant d'obliquer en direction d'un terrain vague.

Je n'allais pas tarder à y découvrir une horrible surprise.

11
Prisonnier

Le terrain vague était entouré de hautes haies, elles-mêmes protégées par une clôture en fil de fer barbelé. On ne pouvait y accéder que par une porte verrouillée par un nombre incroyable de chaînes et de cadenas.

Arno a jeté plusieurs coups d'œil méfiants autour de lui, puis s'est mis à dérouler les chaînes et à ouvrir les cadenas l'un après l'autre. Une fois ce travail achevé, il a caché le tout derrière un buisson, puis il a disparu en se frayant un passage à travers la haie.

D'où j'étais, je ne pouvais plus le voir. J'ai juste entendu grincer la grille, qui s'est refermée derrière lui dans un claquement sec.

De longues minutes se sont écoulées sans que je voie apparaître qui que ce soit. Ni Arno ni mes deux amis. Mais qu'est-ce qu'ils fabriquaient ? Ils en mettaient, du temps ! Et si Bello Bond ne les avait pas trouvés ? Pire, s'il n'était jamais arrivé jusqu'à l'internat ?

Tout à coup, j'ai entendu un hennissement, puis un deuxième, un troisième... Hourra ! Les poulains étaient quelque part sur ce terrain vague. J'avais retrouvé leur trace.

J'ai failli pousser un cri de joie, mais j'avais trop peur qu'Arno m'entende. J'ai attendu quelques secondes avant de prendre mon courage à deux mains et de me faufiler jusqu'à la grille. Une fois sur le terrain, je me suis précipité derrière un fourré. Les épines m'ont griffé les bras, les branches fouetté le visage ; quant à mes mains, n'en parlons pas : elles ont atterri au beau milieu d'un bouquet d'orties ! Mais tout cela valait la peine : j'avais trouvé un poste d'observation idéal.

Devant moi se dressait une vieille caravane toute cabossée, privée de roues, dont les vitres avaient été recouvertes d'une épaisse couche de peinture noire. Juste à côté, attachés à un arbre, s'ébrouaient tristement les quatre poulains.

J'ai tout de suite reconnu Pharaon. Il paraissait à bout de forces. Près des chevaux, il n'y avait ni eau ni nourriture. Ces pauvres bêtes étaient sûrement en train de mourir de faim et de soif !

Pourquoi les poulains étaient-ils cachés ici ? Qu'est-ce que manigançait cette brute d'Arno ? Et le vieux Lhermite ? Était-il dans les parages, lui aussi ? Était-il complice des ravisseurs ?

À cet instant, Arno est sorti de la caravane. Dans sa main il tenait un portable.

– Saleté d'appareil ! a-t-il pesté. Pourquoi il ne veut jamais fonctionner à l'intérieur !

Il a composé un numéro et a collé le téléphone contre son oreille.

– C'est moi ! grogna-t-il. Alors, ce camion, il est prêt ? J'ai pas que ça à faire, moi ! Je devrais déjà être en route. Bon sang de bonsoir !

La réponse à l'autre bout du fil n'a pas eu l'air de lui plaire.

– Tu rigoles ? s'est-il écrié. Les canassons doivent être livrés au plus tard demain en Italie, sinon, l'abattoir m'en donnera pas le prix convenu. Si je veux encore en tirer quelque chose, je dois être parti d'ici dans une heure, grand maximum !

L'abattoir ? Je n'en croyais pas mes oreilles. C'était monstrueux ! Il fallait absolument sauver les poulains, et vite ! J'étais si horrifié que j'ai dû me plaquer la main sur la bouche pour ne pas crier. Comment pouvait-on décider de livrer à la mort des animaux aussi jeunes et sans défense !

Je me suis alors souvenu d'une histoire que j'avais lue dans le journal, quelque temps auparavant. Il y était question de la viande de poulain qui, selon l'article, était très appréciée dans certains pays. Si appréciée qu'elle atteignait des prix astronomiques. C'est donc pour cela que nos gentils poulains devaient mourir ? Rien que d'y penser, j'en avais la nausée ! À coup sûr, le vieux Lhermite était derrière tout ça !

Après avoir rangé le portable dans sa poche, Arno est retourné d'un pas lourd vers la grille. J'ai entendu le bruit des chaînes, et j'ai compris qu'il refermait la porte derrière lui ! Je me retrouvais prisonnier sur ce terrain vague. Je ne pouvais pas m'échapper sans escalader la clôture barbelée, ce qui m'aurait fait courir le risque de me blesser sérieusement. Pourquoi Julie et Bastien mettaient-ils autant de temps pour me rejoindre ? Avais-je surestimé le flair de Bello ? Que faire en les attendant ? J'étais de moins en moins rassuré. Mon père m'a souvent dit qu'un capitaine digne de ce nom n'abandonne jamais son navire, même en plein naufrage. Il a sûrement raison, mais je préférais franchement ne pas en arriver là !

Rien qu'à l'idée de franchir la clôture, j'avais des sueurs froides. J'ai oublié de vous dire qu'elle était électrifiée… Le bourdonnement dans les fils de fer m'indiquait que ce n'était pas du deux volts ! J'étais pris au piège.

Cela dit, je ne pouvais pas rester les bras croisés ! Dans peu de temps, le camion serait là, et il emporterait les poulains vers l'abattoir… Les Lhermite n'en savaient rien. Je devais les prévenir, ou bien alerter la police. Mais, pour cela, il fallait que je quitte cet endroit.

« Voilà ce que je vais faire, ai-je pensé tout à coup. Dès que cet Arno sera de retour, je lui casserai la figure, et je libérerai les poulains ! »

Comme vous vous en doutez, ce plan était tout à fait grotesque. Il aurait suffi que ce voyou éternue pour que je me retrouve KO par terre, sans comprendre ce qui m'arrivait.

À deux reprises, j'ai voulu me glisser jusqu'à la caravane pour y chercher un objet qui aurait pu m'aider, mais j'avais trop peur d'être repéré. J'ai eu bien tort. Si j'étais entré dans la caravane, j'y aurais fait une découverte capitale !

12
Un trop gros risque

Mais n'anticipons pas. Pour l'instant, je tournais en rond, et je ne savais pas par quoi commencer. Soudain, ça m'a paru évident : le plus urgent, bien sûr, c'était de porter secours aux chevaux en leur donnant au moins à boire !

Je me suis dirigé vers l'arbre où ils étaient attachés. Après avoir jeté un rapide coup d'œil autour de moi, j'ai fini par repérer un vieux broc tout cabossé. Par chance, il était rempli d'eau. J'ai cherché un récipient dans lequel je pourrais la transvaser. Un simple seau aurait fait l'affaire, mais je n'en voyais pas. Le broc était trop étroit pour que les poulains puissent y plonger leurs naseaux.

Heureusement qu'un grand capitaine a toujours le sens de l'initiative ! J'ai pris ma casquette, l'ai retournée, et y ai versé l'eau. Puis je me suis approché des poulains, très doucement, pour ne pas les effrayer, et leur ai tendu cette écuelle improvisée. Ils ont pu se désaltérer un peu. Il était temps, car en plein midi, sous un soleil de plomb, les pauvres bêtes, déshydratées, respiraient difficilement.

C'est alors que j'ai entendu le ronronnement d'un moteur. Je suis vite retourné me cacher derrière les buissons en espérant que Julie et Bastien allaient bientôt retrouver ma trace, grâce au flair de Bello. Il ne restait plus beaucoup de temps !

Quelques minutes plus tard, nouveau bruit de chaînes et de cadenas : Arno était de retour. À grandes enjambées, il s'est dirigé vers les poulains, en a détaché deux, qu'il a conduits vers la sortie. Une remorque, accrochée à un camion, était garée devant la porte. Je connaissais ce genre de véhicule, et je savais bien qu'il ne pouvait pas contenir plus de deux chevaux. Arno avait-il l'intention d'enfermer les quatre poulains dans un espace aussi étroit ? Il en était capable, le sauvage !

Après avoir installé les deux premiers dans la remorque, il est revenu vers l'arbre pour détacher Pharaon et son compagnon. Mais, quand il a voulu les faire avancer, les deux poulains se sont rebellés. Pharaon se cabrait furieusement,

et plus le bandit tirait sur la bride, plus le poulain envoyait de ruades. Arno a vite perdu patience.

D'une longue poche cousue sur son pantalon il a sorti une cravache. Et, croyez-moi, elle n'avait rien d'une petite badine inoffensive. De ma cachette, je voyais briller sous le soleil l'éclat froid du métal. Elle était en fer ! La cravache a fendu l'air avant de s'abattre sur Pharaon, qui a poussé un hennissement déchirant et désespéré. J'ai serré les dents pour ne pas hurler à mon tour ; quand j'ai vu Arno lever le bras une nouvelle fois, je n'ai pas pu me retenir plus longtemps. C'était plus fort que moi, il fallait que j'empêche cette brute épaisse de martyriser Pharaon.

Comme un pirate qui va à l'abordage, j'ai surgi de ma cachette en poussant un de mes terribles cris de guerre. Avant qu'Arno ait eu le temps de réagir, je lui avais arraché la cravache des mains. Pendant quelques instants, j'ai eu l'impression d'avoir gagné la partie. Mais ce n'était qu'une impression…

Le voyou s'est retourné, à peine plus surpris

que s'il venait d'être piqué par un moustique, et m'a envoyé une gifle carabinée qui m'a fait perdre l'équilibre. En tombant, j'ai heurté une pierre de la tête ; j'ai vu les arbres valser autour de moi. Le ciel a tourbillonné de plus en plus vite, et le soleil est devenu très pâle. Une fraction de seconde plus tard, c'était le noir absolu.

Quand j'ai repris connaissance, la tête me faisait atrocement souffrir. J'avais la sensation que mon crâne était un pont en bois sur lequel une bande de joyeux matelots dansait en frappant bien fort des pieds.

Je respirais avec difficulté. Une forte odeur de crottin de cheval mêlée à des gaz d'échappement me chatouillait les narines. J'avais beaucoup de mal à retrouver mes esprits. Quelque chose de mou et de chaud se pressait contre moi, m'écrasant contre une cloison.

J'ai ouvert les yeux, et j'ai aperçu les jambes des chevaux. Au-dessus de moi se dressait le corps tremblant de Pharaon.

J'étais accroupi dans un coin de la remorque, près de la porte. Mes pieds et mes mains étaient liés par une corde, elle-même attachée à un anneau fixé à la paroi, faite de planches horizontales.

Arno m'avait bâillonné ; il craignait sûrement – et il avait raison – que je ne crie au secours. Il avait verrouillé la porte. Bientôt, j'ai senti que le convoi se mettait péniblement en route.

Les poulains avaient les pires difficultés à garder leur équilibre. Ils se serraient les uns contre les autres, et leurs hennissements ressemblaient à des sanglots. En levant les yeux vers les trous d'aération, j'ai distingué la cime des arbres défilant dans le ciel.

À travers une petite fente de la cloison, j'ai ensuite entrevu la caravane et le terrain vague qui s'éloignaient peu à peu… Le voyage vers l'inconnu venait de commencer.

Si Julie, Bastien et Bello découvraient le repaire d'Arno, je n'y serais plus. Ils se demanderaient où j'étais passé. J'imaginais avec angoisse que je ne les reverrais peut-être jamais. De grosses gouttes de sueur coulaient sur mon visage.

Soudain, j'ai éprouvé une petite envie pressante et tout à fait naturelle, si vous voyez ce que je veux dire….

Quand on est solidement attaché au fond d'une remorque qui se balance, satisfaire ce genre de besoin n'est pas ce qu'il y a de plus facile. C'est là que l'idée m'est venue. Une idée complètement loufoque. J'avais peut-être trouvé le moyen pour que mes trois amis me retrouvent malgré tout.

13
Le grand nettoyage

Pendant ce temps, Julie et Bastien se désespéraient. Ils m'ont raconté pourquoi ils n'avaient pas pu me rejoindre plus tôt.

Après le départ de l'employé des services d'hygiène, Balai Ambulant avait été prise d'une grande frénésie de nettoyage. Comme les vacances approchaient et que l'internat était enfin débarrassé de ses punaises puantes, ainsi que de toute autre sorte d'insectes, volants ou rampants, elle avait décidé qu'il était temps de tout nettoyer de fond en comble.

Mlle Barbichon, comme vous le savez, est très à cheval sur la propreté. Elle estime que le meilleur moyen de l'enseigner à ses pensionnaires est de les encourager à faire le ménage eux-mêmes. Toutes les classes avaient donc été réquisitionnées pour participer à de formidables manœuvres.

Tel un général en chef sur le point de livrer une bataille décisive contre la saleté, elle avait pris la direction des opérations. Elle avait assigné une tâche précise à chaque élève, et personne n'avait intérêt à se dérober à sa mission. Tous les moyens étaient bons pour traquer l'ennemi : astiquer, décrasser, brosser, frotter, cirer, encaustiquer, polir....

Dans l'intervalle, 001, porteur de l'important message que je lui avais confié, était de retour au Château. Il n'avait pas traîné en route.

Quelle n'a pas dû être sa surprise quand, après avoir franchi la porte secrète, il a vu tout ce petit monde, armé de balais, de seaux, de chiffons et de brosses, qui courait fébrilement dans toutes les directions.

Je l'imagine s'arrêtant net et poussant de petits

grognements de contrariété. Comment franchir les lignes adverses sans être vu ? Il a certainement glissé en rampant derrière les hautes herbes du parc ; mais, une fois arrivé à la porte principale, il a été bien obligé de rebrousser chemin. Sur le perron du Château, un groupe d'élèves s'activait sous l'œil vigilant de Balai Ambulant.

Julie et Bastien, dispensés de corvée, avaient obtenu la permission de rester dans leur chambre, où ils marchaient de long en large comme deux lions en cage, se creusant la tête pour comprendre ce qui avait pu m'arriver.

Au début de l'après-midi, Bisou-Bisou est descendu cueillir des légumes dans son potager.

Au moment où il s'est baissé pour poser son grand panier dans l'une des allées, il s'est senti vigoureusement poussé par derrière. Surpris, il s'est retourné et s'est retrouvé nez à nez avec Bello Bond, couinant d'impatience.

– Qu'est-ce que tu fais là, mon bonhomme ? a murmuré le cuisinier. Tu vas te faire repérer ! Allez, saute là-dedans, a-t-il ajouté en posant son panier à terre.

Bello Bond ne s'est pas fait prier. Pour éviter que quelqu'un le voie, Bisou-Bisou l'a délicatement recouvert d'une grande feuille de chou. Sans se presser, il s'est dirigé vers le Château en

sifflotant. Il est passé devant Balai Ambulant et le groupe d'élèves, et personne n'a rien remarqué.

Bisou-Bisou est vraiment un chic type. Pour tout dire, il a l'étoffe d'un grand capitaine. Il a déposé Bello Bond chez Julie en lui racontant où il l'avait trouvé. Julie a eu la présence d'esprit de vérifier s'il y avait un message accroché à son collier. Après l'avoir lu, elle s'est précipitée chez Bastien. Une minute plus tard, ils se retrouvaient au rez-de-chaussée pour voir si la voie était libre

– On laisse tomber ! a dit Bastien, dépité. Toutes les issues sont bloquées !

Soudain, lui et Julie ont entendu la voix de Balai Ambulant dans l'escalier :

– Allons, les enfants, dépêchez-vous ! Le ménage doit être terminé d'ici peu. Que ceux qui ont utilisé la grosse cireuse aillent tout de suite la ranger dans sa caisse, à l'étage. Je ne l'ai louée que pour quelques heures, et deux hommes doivent bientôt venir la récupérer.

Julie et Bastien se sont regardés. La même idée leur avait traversé l'esprit :

– La cireuse !

– Une caisse !

Ils ont attendu que les élèves aient rangé l'appareil, puis, discrètement, ils se sont glissés dans la salle où étaient entreposés les ustensiles de nettoyage. Ils ont ouvert la caisse et, pendant que Bastien courait cacher la cireuse dans notre chambre, Julie est allée chercher Bello Bond. La suite est simple : enfermés tous les trois à la place de l'appareil, ils ont attendu qu'on vienne la prendre.

Les deux employés sont arrivés à l'heure convenue ; ils ont chargé la caisse dans une camionnette et ont démarré.

Mes amis ont profité du premier feu rouge pour s'éclipser, en prenant soin de refermer la porte de la fourgonnette derrière eux. De là, ils sont partis à ma recherche.

De chez Momo, Bello Bond les a conduits directement à l'entrée du terrain vague, où ils ont trouvé la grille fermée. Bastien a vite compris qu'il n'y avait aucun moyen de pénétrer à l'intérieur.

Bello Bond sautait comme un fou en aboyant à tue-tête.

– Est-ce que Lucas est là-dedans ? lui a demandé Julie.

Il a bondi de droite à gauche, puis de gauche à droite, ce qui voulait dire : NON !

La truffe en l'air, il reniflait, tournant la tête dans toutes les directions ; puis, sans crier gare, il a filé comme une flèche. Julie et Bastien ont eu toutes les peines du monde à le suivre. Notre chien détective filait à toute allure sur la route qu'Arno venait d'emprunter.

Au bout d'un moment, Bello Bond a stoppé. Il paraissait avoir remarqué quelque chose par terre. Julie et Bastien se sont baissés pour regarder, mais ils n'ont rien vu d'autre que du gravier et de l'asphalte. Bello, lui, n'a pas tardé à repartir en courant de plus belle.

Vous avez deviné ce que j'avais fait pour que notre chien détective retrouve ma trace ?

14
Un vrai supplice

Vous ne trouvez toujours pas ? C'est pourtant simple : la même chose que ce que font les chiens pour marquer leur territoire… Vous m'avez compris, cette fois-ci ? Eh oui, il y avait une petite faille dans le plancher du camion, et j'en ai profité pour faire pipi sur la route. Cette piste-là, j'étais sûr que Bello Bond la reconnaîtrait entre mille s'il tombait dessus !

Je ne savais pas où nous conduisait Arno, mais je peux vous dire que chaque mètre parcouru était un véritable enfer.

Le toit métallique de la remorque chauffait au soleil, rendant l'atmosphère à l'intérieur insupportable. À chaque virage, à chaque nid de poule, je me retrouvais projeté violemment soit contre la cloison, soit contre Pharaon, qui se trouvait à côté de moi. Il m'était impossible de rester dans la même position plus de trois secondes.

Les poulains, eux aussi, avaient de plus en plus de mal à respirer ; ils grattaient nerveusement le plancher, et je devais prendre garde à ne pas recevoir de coup de sabot.

Après bien des efforts, j'ai enfin réussi à ôter mon bâillon et le mouchoir qu'Arno avait enfoncé dans ma bouche. C'était toujours ça de gagné, même si cela ne me servait pas à grand-chose ; là où j'étais, personne ne risquait de m'entendre…

J'avais toujours cru que les chevaux ne savaient que hennir. Je me trompais : j'ai découvert ce jour-là qu'ils savent aussi grogner, gémir, et parfois même pleurer ! Autant que le permettaient mes liens, je me collais à eux pour tenter de les rassurer.

Je leur parlais à voix basse en caressant doucement le flanc de Pharaon de mes mains liées. Mais cela ne suffisait pas à les apaiser ; leur instinct leur disait que quelque chose de terrible les attendait.

À un moment le camion s'est engagé sur un chemin tortueux et accidenté. Apparemment, on avait quitté la route nationale et on roulait dans une forêt. J'ai vu par une fente entre les planches de la remorque qu'Arno s'était arrêté près d'une cabane. Il a coupé le moteur et, une fois descendu de la camionnette, il a repris son téléphone.

Il parlait si fort que j'entendais tout ce qu'il disait :

– Tu peux m'expliquer ce que c'est que ce bazar ?... Oui, je veux parler de ce maudit gamin !... Il était caché dans le terrain... Il m'a sauté dessus, par derrière.... Et maintenant, je fais quoi, moi, hein ?... Tu peux me le dire ?... Ah, si je comprends bien, c'est à moi de me débrouiller !... T'inquiète pas, j'ai ma petite idée... Plus tard ! J'ai d'autres chats à fouetter pour le moment... Au fait, les bêtes sont beau-

coup moins robustes que tu le prétendais... Enfin, tant pis, tout ce que je demande, c'est qu'elles tiennent le coup jusqu'à l'abattoir... De l'eau ?... À manger ?... Et puis quoi encore ! Tu rigoles !

Je ne savais pas si je devais continuer à écouter ou me boucher les oreilles, tellement j'étais horrifié par les propos du malfaiteur.

– C'est un convoi pour la boucherie, pas une croisière de luxe ! a-t-il poursuivi. D'ailleurs, à quoi ça servirait, de leur donner à boire et à manger ?.... Là où je les emmène, dès demain, les petits chéris n'auront plus ni faim ni soif, tu peux me croire ! En tout cas, il est hors de question que je les laisse descendre du camion ! Ça a été trop la galère pour les faire monter. J'ai dû sévir, elles ont leur caractère, ces bestioles !... Non, je te dis, ils passeront la nuit là, dans la remorque !.. Allez, il faut que j'aille roupiller un peu si je veux être en forme pour repartir... Salut, et t'inquiète pas, je les ai bien planqués, tes canassons. Personne ne nous trouvera.

Il a raccroché et s'est dirigé vers la cabane. La porte s'est ouverte en grinçant. Juste avant qu'il ne la referme, je me suis redressé en hurlant :

– Et moi ? Vous ne pouvez pas me laisser là-dedans !

Pour toute réponse, j'ai eu droit à un ricanement sarcastique.

Lentement, le ciel prenait des teintes lugubres. La forêt était maintenant plongée dans l'obscurité...

À côté de moi, j'entendais le souffle court des poulains, totalement épuisés.

J'étais désespéré. Je ne savais pas si mes amis allaient venir à ma rescousse, ni même si je les reverrais un jour. Je me sentais perdu. Je n'arrivais plus à réfléchir correctement. Avec qui Arno avait-il parlé ? Avec le vieux M. Lhermite ? Mes liens me serraient, et la tête me faisait mal.

J'avais faim et soif. À bout de forces, j'ai fini par m'endormir.

Je me suis réveillé au milieu de la nuit, sans trop savoir où j'étais. Un vent glacé soufflait dans la forêt. Je grelottais. Tout à coup, dans mon demi-sommeil, j'ai entendu une voix familière qui disait :

– Là, les poulains… ils doivent être dans cette remorque !

Est-ce que je rêvais ?… Mais non ! C'était bien la voix de Julie !

– Julie ! Bastien ! ai-je murmuré. Vous êtes là ?

– Lucas, enfin ! a répondu Julie. C'est bien toi ?

– Mais non ! a répliqué Bastien. Ce n'est pas la voix de Lucas. Regarde, il est au sommet d'un arbre en train de jouer à chat perché.

Il est comme ça, Bastien ; quand il est ému, il fait toujours le pitre. Sans le moindre bruit, ils ont ouvert la porte de la remorque. Aussitôt, les poulains se sont agités ; ils ont voulu sortir, mais la corde qui les attachait les en empêchait. Bastien a sorti son couteau de poche afin de couper

mes liens. Ça n'a pas été facile, car les nœuds étaient très serrés.

Mes amis avaient eu beaucoup de cran. Ils avaient parcouru tout ce chemin à pied et, comme ils n'avaient pas beaucoup d'argent en poche, ils s'étaient juste acheté deux bouteilles d'eau minérale pour tenir le coup.

Une fois libéré, j'ai remué pendant quelques instants mes mains et mes pieds complètement engourdis, puis j'ai dû demander à Julie et à Bastien de m'aider à me relever, tellement je me sentais faible.

– Et maintenant, qu'est-ce qu'on fait ? a chuchoté Julie. Le premier village est au moins à une heure d'ici.

J'étais d'avis de prévenir la police le plus vite possible : si le camion reprenait sa route, les poulains seraient définitivement perdus.

Nous avons pensé à les faire descendre de la remorque pour les emmener avec nous ; mais ils étaient dans un tel état de fatigue que nous ne serions pas allés bien loin. Il fallait trouver une autre solution.

– Au fait, m'a demandé Bastien, où est le type qui a enlevé les chevaux ?

– Ici ! a répondu une voix derrière nous.

14
Pris au piège

De ses grosses mains de brute, Arno nous a empoignés avec une telle force que nous sommes restés le souffle coupé.

– Regardez-moi ces maudits petits fouineurs !

Il empestait la bière et le tabac.

– Je vais vous apprendre, moi, à vous mêler des affaires des autres !

Il nous a emportés sous son bras jusqu'à la cabane, comme si nous avions été aussi légers qu'un sac de plumes.

– Rien que des ennuis ! a-t-il marmonné en

poussant la porte. Et tout ça à cause de trois misérables moustiques qui viennent fourrer leur nez là où il ne faut pas !

À l'intérieur brûlait une lampe à pétrole. La flamme éclairait faiblement la pièce au mobilier sommaire : une table, une chaise, une commode et, dans un coin, une armoire, sur laquelle étaient alignées trois grosses chopes de bière…

Contre le mur du fond, on devinait un lit défait, dans lequel Arno avait sans doute dormi.

De la pointe de sa botte, il a cherché quelque chose sur le sol. Il s'agissait d'un gros anneau en métal ; l'ayant trouvé, il a soulevé d'un coup sec une lourde trappe.

– Allez, vous autres ! Descendez là-dedans, qu'on en finisse !

Sans qu'on puisse réagir, il nous a poussés sans ménagement dans une sorte de réduit souterrain qui ne mesurait pas plus d'un mètre de haut. On a juste eu le temps de baisser la tête avant qu'Arno ne referme la trappe.

À l'intérieur, c'est à peine si on pouvait respirer. Un peu de lumière filtrait à travers les planches. Arno marchait au-dessus de nos têtes. Il était sûrement en train de se préparer à repartir. Bastien inspectait les murs de notre prison, dans l'espoir d'y découvrir quelque passage secret. Il a vite renoncé : il n'y avait pas la moindre issue. On était pour ainsi dire tombés dans des oubliettes.

Une porte a grincé : Arno a sûrement ouvert la porte de l'armoire et commencé à y farfouiller. On entendait des bruits métalliques.

– Voilà le marteau ! s'est-il exclamé. Et maintenant…

On s'est regardés, horrifiés : avant de partir, il voulait clouer la trappe pour être débarrassé de nous une fois pour toutes !

Soudain, un bruit sourd a retenti dans la pièce. On aurait dit un verre qui roulait. Puis on a entendu Arno pester en gémissant. J'ai compris qu'en refermant la porte il avait fait tomber une des chopes de bière du haut de l'armoire, et que celle-ci avait atterri sur son crâne, puis sur le sol.

Il venait de se ressaisir quand une deuxième,

puis une troisième chope ont rebondi sur sa tête avant de finir sur le plancher.

Plus de doute possible : il y avait du Bello Bond là-dessous !

Le petit rusé avait réussi à entrer dans la cabane sans qu'Arno s'en aperçoive. Ensuite, il avait sans soute sauté sur la chaise, puis sur la table, et enfin sur la commode, avant d'aller se cacher au sommet de l'armoire. Là, il avait attendu : et, quand Arno s'était approché, il avait poussé de son museau les trois chopes de bière,

l'une après l'autre. Comme vous le constatez, il savait viser !

On a doucement soulevé la trappe pour évaluer la situation. Profitant de ce que le voyou était complètement déboussolé, Bello lui a sauté à la figure : Arno a poussé un hurlement de terreur et s'est effondré comme une masse sur le plancher. On a entendu sa tête heurter quelque chose de dur ; puis plus rien. Bello Bond l'avait à moitié assommé !

Il l'a tout de même encore mordu un bon coup dans la cuisse. Le voyou a hurlé de douleur. 001 ne le lâchait plus des yeux.

Quand le ravisseur nous a vus, il a voulu nous repousser dans le réduit. Mal lui en a pris : Bello lui a aussitôt planté ses crocs dans la main. C'en était trop : complètement paniqué, Arno s'est précipité hors de la cabane, suivi de près par Bello. Avant qu'on puisse le prendre en chasse, il nous a claqué la porte au nez et a tiré le verrou.

Quelques instants plus tard, le camion démarrait. J'ai couru vers la fenêtre, mais le volet lui aussi était verrouillé. Nous étions coincés, une nouvelle fois.

– Cette fripouille va nous échapper ! s'est écrié Bastien en donnant des coups de pied rageurs dans la porte.

15
Bello Bond, le cow-boy

Ce qui suit, c'est Arno lui-même qui l'a raconté.

Voilà : Arno se croyait malin. Il pensait poursuivre tranquillement son sinistre voyage jusqu'en l'Italie. C'était sans compter avec Bello Bond !

Déjà, le camion bringuebalait et roulait vers la nationale. Arno était très fatigué. Il n'avait presque pas dormi. Reprendre la route dans cet état était tout sauf prudent, mais l'appât du gain l'aidait sans doute à garder les yeux ouverts.

Au croisement du chemin et de la route s'est

alors produit un événement inattendu... pour lui. Il a soudain ressenti une violente douleur au mollet. Il a d'abord cru à une piqûre de frelon et a voulu continuer. Mais, au moment où il a appuyé sur l'accélérateur, une petite boule de fourrure blanche a tout à coup surgi d'entre ses pieds et l'a saisi à la gorge.

À partir de là, tout est allé très vite. Le voleur a senti qu'il perdait le contrôle du véhicule. Il a braqué le volant si brutalement que les deux roues avant ont dévié vers le bas-côté. Sous le choc, l'essieu de la vieille voiture s'est cassé net. Le convoi s'est immobilisé.

Arno a baissé sa vitre pour constater l'ampleur des dégâts. Bello Bond en a profité pour sauter hors de la camionnette.

Il avait compris qu'il n'y avait pas un instant à perdre.

Quand le voyou a réalisé qu'il ne pourrait plus redémarrer, il est devenu vert de rage. Fort heureusement, la remorque n'avait pas été entraînée dans le ravin ; cela aurait eu des conséquences dramatiques pour les poulains.

Mais Arno tenait absolument à poursuivre sa

route. Il y avait trop gros à gagner. Et la frontière n'était plus loin.

Il s'est précipité vers la remorque pour faire sortir les poulains.

Pour qu'ils descendent plus vite, il a tiré de sa poche la cravache en fer. Une nouvelle fois, il s'apprêtait à martyriser les pauvres bêtes.

Mais Bello Bond ne lui en pas laissé le temps. D'un bond agile, il lui a arraché l'objet des mains.

Arno, menaçant, a voulu le lui reprendre ; au fur et à mesure qu'il avançait, Bello reculait, serrant fermement entre ses dents l'instrument de torture.

Le voleur était bien décidé à maîtriser Bello. C'était mal connaître notre chien détective. Avec agilité et souplesse, il se décalait à chaque pas légèrement sur le côté, si bien qu'Arno n'attrapait que du vide. Bientôt, il ne faisait plus que donner des coups de pied en l'air, proférant à chaque fois d'énormes jurons. Pourtant, il ne s'avouait pas vaincu. Tel un taureau devant qui on agite un chiffon rouge, il repartait sans cesse à l'assaut.

Il avait trébuché pour la énième fois quand Bello Bond a soudain fait volte-face, pour ensuite courir aussi vite que ses petites pattes le lui permettaient. Arno s'est lancé à sa poursuite en vociférant :

– Je t'aurai, vaurien ! Je vais te transformer en chair à saucisse !

Plusieurs fois, 001 s'est retourné pour constater avec angoisse que son agresseur gagnait du terrain. La distance entre eux se réduisait de plus en plus. Comme Bello Bond est très futé, il a préféré économiser ses forces. Il s'est arrêté pour réfléchir. La langue pendante, il a repris son souffle en trottinant dans tous les sens, à la recherche d'une issue.

Puis, calmement, il s'est assis sur un petit muret, et il a attendu.

Arno jubilait, certain que sa victime était trop épuisée pour s'enfuir. Il allait enfin pouvoir régler son compte à ce maudit cabot, et récupérer sa cravache. Sans se poser de questions, il a foncé droit sur le chien, les bras tendus, prêt à le saisir par le collier…

D'après vous, qu'est-ce que Bello Bond a fait ?

Eh bien, il n'a pas bougé !

Ou plutôt, si. Une dernière fois, il s'est légèrement décalé sur le côté, juste ce qu'il fallait pour qu'Arno, dans son élan, trébuche contre le muret et aille plonger tête la première dans un bassin, au fond duquel croupissait un mètre d'eau sale.

Complètement abasourdi, le méchant s'est mis à tousser, à cracher, à éternuer…

Il s'est débattu comme un beau diable, mais rien n'y a fait. Le bassin était trop profond, et ses parois trop glissantes, pour qu'il ait la moindre chance d'échapper au piège que Bello lui avait tendu.

C'est vers une heure du matin que nous sommes arrivés enfin à nous évader de la cabane.

Dans sa fuite, Arno avait laissé traîner son marteau. Au prix de gros efforts et de beaucoup de patience, nous avons réussi à casser un volet et nous libérer.

Dehors, la pleine lune brillait dans le ciel. Il faisait si clair que nous avons facilement trouvé notre chemin. Nous avons été à peine étonnés de découvrir la camionnette à moitié échouée dans le fossé. Les cris que poussait Arno nous ont menés jusqu'à lui.

Après nous avoir raconté ce qui venait d'arriver, il nous a suppliés de l'aider à sortir du bassin.

Ça, il n'en était pas question ! C'est la police, et personne d'autre, qui se chargerait de le tirer de là. Et les menaces proférées par le voyou, bien vite suivies de supplications, n'y auraient rien changé !

En retournant vers la camionnette, nous sommes tombés sur Bello Bond qui aboyait joyeusement. Il paraissait très excité. Il jappait d'impatience, attendant qu'on se baisse tous les trois pour le caresser et le féliciter, ce que nous avons fait sans hésiter, car le moins qu'on puisse dire, c'est qu'il le méritait. Une fois rassasié, il a frappé le sol à deux reprises avec sa patte. Nous l'avons donc suivi.

Au bout du champ, dans un ravin, les chevaux se promenaient en toute tranquillité, buvant de l'eau et broutant de l'herbe fraîche.

Quand Julie a appelé Pharaon, celui-ci a tout de suite galopé vers elle et lui a glissé tendrement la tête sous le bras.

Bello Bond était vraiment le meilleur ! Véritable petit cow-boy, il avait conduit les poulains dans ce vallon.

Ils les avaient mis en sécurité dans un endroit d'où ils ne pouvaient s'échapper et où ils avaient trouvé enfin de l'eau et de la nourriture.

Mais, si vous croyez que l'aventure se termine là, vous vous trompez lourdement.

16
Le comble de l'histoire

Je vais essayer de vous raconter la fin de cette nuit mouvementée aussi brièvement que possible.

Julie et moi sommes restés près des poulains, pendant que Bastien allait chercher de l'aide en compagnie de Bello Bond. Ils ont suivi la route en direction du village le plus proche. Ça faisait un sacré bout de chemin, mais c'était le seul moyen de s'en sortir. En fait, ils ont eu de la chance. Une voiture qui venait en sens inverse s'est arrêtée. Le conducteur, un médecin, a prêté son téléphone portable à Bastien, qui a prévenu la police.

Vers trois heures du matin, nous étions de retour au Château.

Comme vous pouvez l'imaginer, Mlle Barbichon était dans tous ses états. Elle n'avait pas dormi de la nuit. Elle avait sorti une chaise de son appartement et s'était installée dans le hall pour nous attendre. Les heures passant, elle s'était assoupie, et c'est le carillon du portail qui l'a réveillée. On était dans nos petits souliers, car on était persuadés qu'elle allait nous passer un savon dont on se souviendrait longtemps. Mais non !...

C'est étrange : vous avez déjà remarqué ça ? Quand vous êtes très en retard, la personne qui vous attend est d'abord en colère. Mais, si l'attente se prolonge, la colère se change peu à peu en angoisse et, lorsque vous apparaissez, on est tout simplement soulagé et heureux de savoir qu'il ne vous est rien arrivé.

La directrice s'est levée et a ouvert la porte, toute tremblante. En nous voyant sur le seuil, entourés de policiers, elle n'a pas pu retenir ses larmes. Elle nous a serrés dans ses bras en reniflant bruyamment. Vu ses bonnes manières, ce n'était pas rien !

Les policiers lui ont appris qu'un voleur avait été arrêté, et quatre poulains avaient pu être sauvés, grâce à nous. Heureusement, ils ne sont pas entrés dans les détails et n'ont pas mentionné notre chien détective. Leurs explications ont eu l'air de suffire à la directrice. Elle était trop contente de nous revoir sains et saufs. Nous, on était complètement épuisés, et on n'avait plus qu'un seul objectif : dormir.

Mais où était donc passé Bello Bond ?

Bien entendu, nous l'avions emmené avec nous. Il était discrètement monté dans la voiture de police et resté sagement couché à mes pieds durant tout le trajet. Une fois arrivé à l'internat, il est allé se cacher dans les herbes du parc.

Quand il a constaté que la voie était libre, il est venu nous attendre sous la fenêtre de Julie. Il était hors de question qu'il dorme dans l'appartement de Barbe Fleurie cette nuit-là. On n'aurait pas pu l'y emmener sans être surpris par Balai Ambulant. Pour qu'il puisse parfois nous rejoindre, Julie, jamais à court d'idées, lui avait confectionné un ascenseur pour chiens. On s'en était déjà servi une fois.

Nouant deux de ses cordes à sauter aux anses d'un panier en osier, elle l'a doucement fait glisser le long du mur. Une fois le panier en bas, Bello Bond a sauté dedans, et Julie l'a remonté jusqu'à sa fenêtre.

Cette nuit-là, pour son plus grand plaisir, il a dormi sur un lit, au beau milieu d'une bonne douzaine de peluches.

Le lendemain matin, notre seule envie était de faire la grasse matinée. Nous avions obtenu l'autorisation de ne pas aller en classe et de rester au lit aussi longtemps que nous le souhaitions.

C'était génial, sauf qu'à midi Balai Ambulant est venue nous voir pour jouer son rôle de directrice : une leçon de morale ! Nous l'avons écoutée sans broncher. Elle nous a reproché d'avoir quitté l'internat sans prévenir et de nous être mêlés d'une affaire qui ne nous concernait pas. Elle nous a fait promettre de ne plus nous enfuir, même pour venir en aide à de pauvres poulains sans défense. Mais, après ce petit sermon, elle nous a aussitôt félicités d'avoir sauvé la vie des jeunes chevaux.

Pour fêter notre retour, Bisou-Bisou nous avait préparé notre plat préféré. Quand nous sommes passés devant les Après-Rasage, ils se sont écartés avec respect. Dans le regard, il y avait une lueur d'admiration. Ça changeait, pour une fois !

On aurait bien passé le reste de la journée à se prélasser, mais Bello Bond ne voyait pas les choses de cette façon. Il avait regagné l'appartement de Barbe Fleurie, et à peine l'avions-nous rejoint qu'il voulait déjà repartir.

– Qu'est-ce qu'il y a encore ? a demandé Bastien. Tu n'en as pas assez ? Tu veux sortir ?

001 jappait en grattant à la porte d'un air pitoyable.

– C'est bon ! dit Julie en ouvrant son sac. Saute là-dedans. On descend !

Nous sommes allés près de la serre. Là, Bello Bond a bondi du sac. Il n'arrêtait pas de gigoter dans tous les sens. On sentait que quelque chose le tracassait. Il courait autour de nous en aboyant.

Dès que nous avons franchi la porte secrète, il s'est élancé sur la route, et nous avons essayé de le suivre tant bien que mal.

À la sortie de la ville, on a enfin compris où il nous conduisait : au terrain vague où Arno avait caché les poulains après leur enlèvement.

Arrivé devant la grille, il a aboyé à pleins poumons. Il semblait vouloir absolument nous montrer quelque chose à l'intérieur. Quand on l'a vu fouiller le sol pour se creuser un chemin sous la clôture, on s'est regardés, perplexes.

Avec mille précautions, on a écarté les fils électriques en nous servant de bâtons et on a pu entrer.

Bello Bond sautait comme un fou devant la caravane. Étonnés, on a ouvert la porte. Ça sentait le renfermé. Prudemment, on s'est avancés et on a fini par distinguer une forme allongée sur un lit. En nous rapprochant, on a reconnu… le vieux M. Lhermite ! Il paraissait inanimé.

Nous lui avons dit quelques mots et, dès qu'il nous a vus, il a commencé à pleurer. Surpris,

nous avons tenté de le rassurer : il ne nous entendait pas, tellement il sanglotait. Bastien s'est dépêché d'aller prévenir la police pour qu'elle envoie une ambulance. Visiblement, le vieil homme avait besoin d'être soigné.

Le lendemain, un samedi, nous avons lu dans le journal les déclarations d'Arno à la police. Il prétendait ne pas être un voleur. Il avait agi sur ordre de M. Lhermite père, qui voulait envoyer les poulains en Italie. Cette mission l'avait un peu surpris, disait-il, mais il n'avait pas posé de questions : les affaires sont les affaires ! M. Lhermite lui avait demandé de venir prendre les poulains au centre équestre, de nuit, et avait promis de lui apporter la somme convenue le jour suivant, à la caravane. Le jour en question, le vieil homme n'avait subitement plus voulu payer, et avait même menacé Arno de le dénoncer. Paniqué, ce dernier l'avait alors séquestré.

L'article annonçait que l'affaire était close. Les choses étaient rentrées dans l'ordre, puisque les poulains avaient regagné leur écurie et que M. Lhermite serait admis dans un hospice dès qu'il irait mieux.

Bastien laissa retomber le journal. Il ne semblait pas du tout convaincu par cette version des faits.

– Vous ne trouvez pas ça bizarre ? a-t-il soufflé. Il y a vraiment quelque chose qui cloche dans tout ça. Lucas, tu as bien entendu Arno téléphoner ! Et, si le vieux M. Lhermite était enfermé dans la caravane, à qui Arno pouvait-il parler ? J'aimerais bien savoir qui se cache derrière toute cette histoire...

C'était la fin de la semaine et, à la différence des autres pensionnaires, nous sommes restés à l'internat, nos parents étant tous à l'étranger. La mère de Julie, qui est hôtesse de l'air, s'était envolée pour Los Angeles ; les parents de Bastien travaillaient en Norvège ; quant à mon père, il était sur son bateau naviguant en haute mer.

Nous voulions à tout prix retourner au centre équestre. Nous sommes allés trouver Balai Ambulant pour lui demander la permission. Elle a accepté.

Chloé et François semblaient bouleversés. Ils avaient le visage défait et de grands cernes sous les yeux. Ils nous ont chaleureusement remerciés d'avoir sauvé les chevaux.

À l'étage de leur maison, le vieux M. Lhermite se tenait à la fenêtre et regardait dans notre direction. D'en bas, on pouvait voir que ses yeux étaient rouges : il devait avoir beaucoup pleuré. La porte était ouverte et, avant qu'on puisse le retenir, Bello Bond a foncé à l'intérieur. On a attendu quelques instants, mais il n'est pas réapparu.

Les Lhermite ont accompagné Julie et Bastien à l'écurie, pendant que j'entrais dans la maison à la recherche de 001. Je l'ai entendu japper au premier étage, et je suis monté. En haut de l'escalier, il y avait un couloir étroit, au fond duquel une porte était entrouverte. Je l'ai lentement poussée, certain de trouver Bello derrière. Quand je l'ai vu, j'ai d'abord piqué une grosse colère.

17
Un fromage douteux

Bello Bond, ce petit monstre toujours affamé, frétillait de la queue en contemplant un morceau de fromage posé sur une table.

– Laisse ça, l'ai-je grondé, tu sais très bien que ça ne t'appartient pas !

Je venais d'entrer dans la chambre de M. Lhermite père.

Il se tenait courbé sur sa chaise. Fatigué, l'air éteint, il ne disait rien. Il a juste esquissé un geste de la main, pour me faire comprendre que 001 pouvait manger le fromage si ça lui plaisait.

– Eh bien, on peut dire que tu as gagné, ai-je commenté. Alors, régale-toi !

À coup sûr, c'était l'odeur du fromage qui avait attiré Bello Bond ici. N'était-ce pas une de ses gourmandises préférées ?

À ma grande surprise, il n'y a pas touché. Il secouait énergiquement la tête en lorgnant vers une miche de pain qui se trouvait près du fromage.

– Ça alors ! Il te faut du pain aussi, maintenant.... Tu as vraiment un estomac à la place du cerveau, me suis-je écrié en m'excusant auprès de M. Lhermite.

Le vieil homme n'a pas réagi. Il restait assis sans dire un mot, comme si plus rien n'avait d'importance. Il faisait pitié à voir. Je n'arrivais pas à croire que cet homme avait eu l'intention de faire mourir d'innocents poulains.

Soudain, Bello Bond a sauté sur ses genoux. Le vieil homme a semblé revenir à la vie. Il a caressé le chien, qui s'est mis sur le dos en couinant de satisfaction. Bello Bond avait visiblement envie de jouer, et il gigotait dans tous les sens pendant que le vieil homme le chatouillait.

C'était étrange : d'habitude, il ne se compor-

tait ainsi qu'avec les gens qu'il aimait ! Et comment pouvait-on encore aimer le vieux M. Lhermite après ce qu'il avait fait ?

Ensuite, Bello Bond s'est remis sur ses pattes et a léché le visage de son nouvel ami. Puis il est sorti à toute vitesse de la chambre. Je l'ai suivi jusqu'au rez-de-chaussée, où il a disparu derrière une porte.

Qu'est-ce qu'il avait encore en tête ? Quand j'ai voulu l'attraper, il s'est enfui dans la cuisine. Elle était sale et en désordre.

Bello Bond m'attendait en jappant devant une grande poubelle. Il ne semblait pas vouloir bouger. Il a cessé d'aboyer que lorsque je me suis approché... Il me regardait. Dès que j'ai soulevé le couvercle, il a posé sa patte sur la poubelle et en a renversé le contenu par terre. Après quoi, il a frénétiquement répandu toutes les ordures à travers la cuisine.

J'étais hors de moi :

– Ça y est ! Ça te reprend, ta manie de la saleté !

Cela n'a pas eu l'air de beaucoup le perturber. Il continuait à trier les détritus. Intrigué, je l'ai laissé faire.

Je l'observais flairer de sa truffe experte les épluchures de légumes, les filtres à café usagés, les packs de lait vides et toutes sortes d'emballages en carton. Au bout d'un long moment, il a fini par dénicher un petit flacon, qu'il est venu déposer à mes pieds.

Je l'ai ramassé : sur l'étiquette était écrit un mot en latin dont j'ignorais le sens, et juste en dessous : *Tranquillisants.*

Et là, j'ai compris. J'ai su pourquoi Bello Bond n'avait pas goûté au fromage, et pourquoi il avait absolument tenu à me conduire jusqu'à cette poubelle ! Chloé et François Lhermite administraient en secret des tranquillisants au vieux

M. Lhermite, pour lui faire perdre la mémoire et se débarrasser de lui en l'envoyant à l'hospice !

Je suis remonté à toute vitesse au premier étage pour prendre le fromage, puis j'ai couru à l'écurie rejoindre Julie et Bastien, qui bavardaient avec les Lhermite. Je leur ai fait signe de me suivre. Ils n'ont pas posé de questions.

En chemin, je leur ai raconté ma découverte. Bastien pensait que nous devions tout de suite porter le fromage et le flacon à la police.

Par la jambe de bois du capitaine Kid, on était au comble de l'excitation !

Bello Bond courait à côté de nous en aboyant. Il écoutait avec bonheur les mots que Julie lui répétait :

– Si tout cela est vrai, Bello, je te promets que tu auras droit au plus gros poisson qu'on trouvera sur le marché !

Et tout cela *était* vrai. La police a fait son enquête et a interrogé les Lhermite, qui ont commencé par se contredire, puis ont avoué : ils avaient effectivement voulu se débarrasser du vieux M. Lhermite, dans le but de prendre la direction du centre équestre. Et le centre équestre, ils souhaitaient le consacrer uniquement à l'élevage des pur-sang. Du coup, tous les chevaux qui n'étaient pas de race étaient impitoyablement condamnés à la boucherie ! Nez Pointu et Trait d'Union savaient très bien qu'ils tireraient un bon prix de la viande des poulains, mais ça ne leur suffisait pas. Ils avaient organisé leur enlèvement après avoir souscrit un contrat d'assurance. Il ne leur restait plus qu'à faire croire à un vol, et passer à la caisse pour toucher la prime.

Dire que, si Bello Bond n'avait pas déniché, au fond d'un box, une casquette puant le parfum bon marché, le plan machiavélique des Lhermite aurait réussi ! À cette seule idée, Bastien, Julie et moi avions des sueurs froides.

À présent, Chloé et François sont derrière les barreaux, et ça pour un bon bout de temps. Arno, une de leurs vieilles connaissances, leur tient d'ailleurs compagnie.

Un mois plus tard, nous avons reçu une invitation du centre équestre. Le vieux M. Lhermite est venu en personne nous chercher en voiture à l'internat.

À peine étions-nous montés qu'il nous a demandé :

– Où est donc votre chien ?

Julie lui a montré son sac, où était couché Bello Bond. Il attendait que nous ayons démarré pour se montrer.

– J'ai repris les choses en main. Grâce à vous, les enfants, j'ai rajeuni de vingt ans ! a déclaré M. Lhermite. J'ai retrouvé tous mes esprits. Mais une chose est certaine : il me faudra du temps pour oublier le mal que mon fils et sa femme m'ont fait !

Au centre équestre régnait une grande agitation. Il y avait de nouveaux professeurs et le nombre d'élèves avait doublé.

M. Lhermite nous a conduits jusqu'à la prairie où se trouvaient les poulains et leurs parents. Bello Bond s'est assis et les a regardés brouter l'herbe fraîche. M. Lhermite s'est baissé vers lui :

– Alors, champion, tu ne serais pas un peu envieux, par hasard ?

Bello Bond a penché la tête et pointé ses oreilles, faisant mine de ne pas comprendre.

– Ne t'inquiète pas ! Toi aussi, un jour, tu auras des petits !

Pharaon, qui avait déjà bien grandi, a galopé vers nous. Julie lui a caressé la crinière avec amour. Ses drôles d'oreilles s'étaient dressées de joie à la vue de notre amie.

– J'ai cherché ce que je pourrais vous offrir en récompense de votre courage et de votre intervention, nous a dit M. Lhermite. Et j'ai trouvé : à partir d'aujourd'hui, Pharaon vous appartient ! Bien sûr, mieux vaut pour tout le monde qu'il reste au haras, mais vous pourrez le voir aussi souvent que vous voudrez ! Vous serez toujours les bienvenus !

Julie n'a pas caché sa joie. Elle a sauté au cou du vieil homme et l'a embrassé sur les deux joues. Elle était si heureuse qu'elle nous a sauté au cou aussi, à Bastien et à moi ; mais nous, on n'a pas eu droit aux bises.

Nous étions aux anges : le magnifique poulain, le seul au monde à avoir des oreilles si étranges, était à nous, rien qu'à nous !

Bello Bond faisait mine de nous ignorer. Pas de doute, il était jaloux. Et, pour bien nous le signaler, il s'est roulé dans du crottin de cheval. Mais cette fois-ci je n'ai rien dit.

M. Lhermite s'est alors tourné vers lui.

– Pour toi aussi, j'ai quelque chose ! s'est-il exclamé en sortant de la poche de sa veste le fromage le plus « parfumé » qu'il avait pu trouver.

L'odeur était à vous faire tomber par terre !

Bello Bond s'est littéralement jeté sur ce cadeau inattendu. En un clin d'œil, il avait oublié sa jalousie.

Je tiens une sorte de carnet de bord sur lequel je note au jour le jour ce qui me passe par la tête. En ce jour mémorable, voilà ce que j'ai écrit :

« Je trouve que c'est une chance d'avoir des amis aussi extra que Bastien et Julie. Je trouve aussi que c'est une superchance de posséder un cheval. Mais, surtout, je crois que c'est vraiment une super-hyper-méga-chance d'avoir Bello Bond, notre chien détective ! Et j'ai comme l'impression qu'il va bientôt nous entraîner vers de nouvelles et passionnantes aventures. »

L'avenir devait me donner raison !

FIN